Un verano misterioso

ALICE MOHRMAN KOSNIK

Illustrated by Robert Johnson

Stanley Thornes (Publishers) Ltd.

This edition first published in 1984 by
Stanley Thornes (Publishers) Ltd
Educa House
Old Station Drive
Leckhampton
CHELTENHAM GL53 0DN

British Library Cataloguing in Publication Data

Kosnik, A.M.
   Un verano misterioso.—(Jaguar readers)
   1. Spanish language—Readers
   I. Title.   II. Series
   468.6'421   PC4117

   ISBN 0-85950-196-5

Also from ST(P):

JAGUAR READERS
      EL ENREDO (A.M. Kosnik)
      EL OJO DE AGUA (A. Schrade)
      LA HERENCIA (R. Hernández de Escobar)
SPAIN AFTER FRANCO — Language in context
      Juan Kattán-Ibarra and Tim Connell
CURSO PRÁCTICO DE ESPAÑOL PARA MAYORES
      Monica Wilden-Hart
GUIDE TO SPANISH IDIOMS/GUÍA DE MODISMOS ESPAÑOLES
      Raymond H. Pierson
GUIDE TO CORRESPONDENCE IN SPANISH
      Mary H. Jackson
THE SPANISH VERB
      Tim Connell and Elizabeth van Heusden
COMPLETE HANDBOOK OF SPANISH VERBS
      Judith Noble and Jaime Lacasa

Printed and bound in Great Britain by The Pitman Press, Bath.

Preface

The language level of *Un verano misterioso* is suitable for learners in their second and third years of Spanish (for those on an accelerated course, it might be appropriate in the later months of their first year).

The book may be used either as supplementary reading for individual use, or as a reader for the class as a whole. It will provide the individual reader with useful and interesting background information about Mexico, as well as exciting reading. And for the class as a whole, it can act as a springboard for related cultural activities.

The Jaguar series meets a need for reading material that is both simple and interesting. The vocabulary and structures used are usually covered in first and second level Spanish courses. Idiomatic expressions and unfamiliar vocabulary are explained in marginal notes. A complete Spanish-English vocabulary is also provided. Although it has been carefully controlled, the language of *Un verano misterioso* is idiomatic and authentic.

Readers who have enjoyed *Un verano misterioso* can go on to other books in the Jaguar series: *El enredo*, set in Spain; *La herencia*, which takes readers through Central and South America; and *El ojo de agua*, a Costa Rican mystery.

Golfo de México

MEXICO

Guanajuato

Guadalajara

San Miguel
de Allende

Tlaquepaque
Lago Pátzcuaro
Manzanillo

Morelia

Veracruz

México

Pátzcuaro

Océano Pacífico

Acapulco

1. De viaje

—Señoras y señores— interrumpió la voz de una camarera.° —Hagan el favor de abrocharse los cinturones° y de no fumar. Dentro de unos minutos llegaremos a Guadalajara. Gracias por haber viajado con nosotros.

—¡Despiértate, Steve!— exclamó Susan, una muchacha delgada de pelo rojo. Estaba vestida a la última moda con minifalda y chaqueta rayada.° Los grandes ojos azules chispeaban° con emoción.

Su hermano, Steve, bostezó.° Todavía se veía el sueño en los ojos verdes. Llevaba anteojos° modernos y tenía orgullo del bigote° pequeño. Era alto, delgado y fuerte.

—Bajamos— dijo Steve. —¿Cómo vamos a saber quién es nuestro tío Tony? Hace muchos años que no lo vimos.

—No te preocupes.° Yo le mandé una foto de nosotros— contestó Susan.

Después de pasar por la aduana,° los dos fueron al salón de espera. Se les acercó° un hombre parecido a don Quijote: alto, delgado y cano,° con una barbilla larga.

—¡Bienvenidos a México!— les saludó el hombre. Era su tío Tony.

—¿Tío Tony?— los dos respondieron a la vez. °

—Sí, jóvenes. ¿Qué tal el viaje?

—Muy bien, tío. En el avión conocimos a un amigo tuyo, el Sr. Riofrío. Nos contó mucho de Guadalajara.

—Pues— dijo tío Tony, —hablando del rey de roma,[1] allí está en el banco.

Miraron hacia el puesto del Banco Nacional de México

camarera stewardess
abrocharse los cinturones fasten your seatbelts

rayada striped

chispeaban sparkled

bostezó yawned
anteojos glasses
bigote moustache

No te preocupes Don't worry

aduana customs
acercó approached
cano gray-haired

a la vez at the same time

---

[1] Expression equivalent to the English, "Speaking of the devil..."

y vieron al Sr. Riofrío, un hombre moreno y distinguido. Estaba esperando para cambiar su dinero.

Los tres caminaron hacia el banco. —Rogelio, ¿qué tal?— preguntó tío Tony. —Ya conoces a mis sobrinos, ¿verdad?

—Sí, ya nos conocimos.— El Sr. Riofrío sonrió. —Me dijeron que van a pasar el verano aquí contigo. ¡Qué suerte tienen!

Los jóvenes decidieron a cambiar su dinero también y, así, los cuatro se quedaron hablando cerca del banco. De repente, tío Tony se animó° mucho, miró fijamente° a un grupo de personas que acabó de llegar° y sin una explicación, preguntó a Rogelio Riofrío: —¿Puedes tú llevar a mis sobrinos a casa? Tengo que irme inmediatamente.

se animó cheered up
miró fijamente stared
acabó de llegar had just arrived

Corrió a la puerta más cerca y desapareció.

El Sr. Riofrío y los dos jóvenes se quedaron parados,° muy sorprendidos. —¿Qué le pasó?— preguntó Steve.

parados motionless

—No sé— comentó Susan. —¿Lo vieron Uds. a quién miró?

—Parece que vio al hombre alto y rubio que salió antes que él— comentó Steve. —Pero no estoy seguro.

—Ni yo tampoco— comentó Rogelio Riofrío. —Pues, cambien su dinero y nos vamos a casa.

El negocio del banco terminado, los tres subieron al coche del Sr. Riofrío. En camino a° la casa, pasaron por algunas de las avenidas bellas de la ciudad. Susan le preguntó al Sr. Riofrío: —Ud. es amigo de nuestro tío. Cuéntenos, ¿cómo es? Hace diez años que no lo vemos.

En camino a On the way to

—Pues, Antonio es muy amigo mío. Es siempre muy amable y amistoso.° Todavía es soltero, y sale a menudo° con una gran cantidad de mujeres. Conoce a casi toda la "alta sociedad" de Guadalajara. Me dijo una vez que era hombre de negocios de Wall Street en Nueva York hace veinte años, y que dejó su trabajo allá, porque no le gustó la vida apresurada.° Vino a México para pintar, descansar y pensar. En muy poco tiempo se enamoró de° Guadalajara y se quedó aquí. Ahora pasa sus días pintando y sus noches divirtiéndose con sus amigos. Uds. van a divertirse mucho con él. ¿Piensan pasar todo el verano aquí?

amistoso friendly
a menudo often

apresurada rushed
se enamoró de fell in love with

—Sí— contestó Susan. —Tengo ganas de° conocer a toda Guadalajara. En el avión Ud. nos contó de tantas

Tengo ganas de I feel like

2

cosas interesantes: los monumentos, las plazas bonitas, las casas coloniales y los edificios modernos, el mercado, los mariachis ... ¡Ay de mí!

Steve se rió del "super-entusiasmo" de su hermana. El coche dio la vuelta° y entró en una de las colonias bonitas de las afueras° de la ciudad. Los hermanos miraron las casas grandes y elegantes.

—Aquí estamos— comentó el Sr. Riofrío. —Bajen y les presento a la criada, Esperanza. Ella les ayuda a arreglar sus cosas.

En voz baja, Steve comentó a Sue: —Nunca pensaba que íbamos a empezar nuestra visita con un amigo de tío Tony en vez de con él mismo. Todo esto me extraña° muchísimo.

dio la vuelta turned the corner

afueras outskirts

me extraña strikes me as peculiar

1. ¿Cómo es Susan Summers?
2. Describa usted a Steve Summers.
3. ¿Quién saluda a Susan y a Steve en el salón de espera? ¿Cómo es?
4. ¿Qué les sorprende mucho a los hermanos al llegar al aeropuerto?
5. ¿Por qué tiene que ir tío Tony?
6. ¿Está casado tío Tony?
7. ¿Por qué vino tío Tony a vivir en Guadalajara?
8. ¿Cómo pasa sus días tío Tony?
9. ¿Qué quieren visitar los muchachos en Guadalajara?
10. ¿Qué le dice Steve a Susan al llegar a la casa de tío Tony?

2. Encuentros en el mercado

—Pues, ¿dónde estará° tío Tony esta mañana?— preguntó Sue a su hermano. Los dos norteamericanos ya estuvieron una semana en Guadalajara, pero casi no vieron a su tío. Cuando estaba con ellos, les parecía preocupado.

—Es misterioso— comentó Steve, un poco irritado. —Pero no me importa. Sólo estoy seguro de que no quiero pasar todo el verano aquí en el patio de la casa. ¿Por qué no...?

En este momento sonó el timbre.° Esperanza, la criada, llegó al patio acompañada de una muchacha de la misma edad que Susan.

—Susan y Steven Summers, quiero presentarles a Elena Encanto. Es nuestra vecina de enfrente.

—Mucho gusto— saludaron Susan y Steve a la vez. Al ver a esta joven baja con pelo largo y negro, Steve se animó. La miró con mucho interés mientras ella preguntó:

—¿Qué pasa al Sr. Amoroso? Hace dos semanas que no lo veo.

—No sabemos— dijo Susan. —Hace una semana que llegamos, pero casi no lo hemos visto. Todos nos han dicho que tío Tony es muy amistoso y que vamos a hacer muchas cosas con él. Pero, en realidad, hemos pasado casi todo el tiempo solos aquí en la casa o andando por las calles de la colonia.

—¡Qué barbaridad!— exclamó Elena. —Hay que remediar esto. ¿Quieren acompañarme ahora al Mercado Libertad? Está al aire libre ... y es el mercado más grande de Guadalajara. Allá no hay precios fijos.° Tendrán que regatear.° Vamos, ¿eh?

estará could he be

sonó el timbre the bell rang

fijos fixed

regatear to bargain

4

—¡Sí, vamos!— gritó Susan, muy entusiasmada.

Más tarde llegaron los tres al mercado enorme construido cerca del centro de Guadalajara. Era distinto de otros mercados en que era moderno y tenía varios pisos. Se vendía de todo: carne, flores, frutas y aun joyas.° Fascinada, Susan vio también zapatos, ollas° y jarras de barro,° y canastas.° Iban hacia un puesto de juguetes cuando, de repente, Elena se paró° y exclamó:

joyas   jewellery
ollas   pots
barro   clay
canastas   baskets
se paró   stopped

—¡Miren! ¡Allí está el Sr. Amoroso! Y, ¡fíjense!° Está con Marta Millón.

fíjense   look, notice

—¿Marta Millón? ¿Quién es esta Marta Millón?— preguntó Steve.

—¿Ven a la mujer bonita al lado de su tío?— continuó Elena. —Es una de las mujeres más ricas y más famosas de la alta sociedad de Guadalajara.

—Es elegantísima— dijo Susan. —A mí me gustaría ser hermosa y delgada y tener este collar° de perlas tan lindo.

collar   necklace

—Pues— sonrió Steve, —entiendo por qué tío prefiere salir con ella en vez de con nosotros. Pero, ¿por qué no nos dijo nada de ella?

—¿Será° un noviazgo° secreto?— comentó Susan. —Pero ya se fueron ellos y aquí estamos cerca de mil cosas para comprar. ¡Miren los baleros!° ¡Qué buen juguete para nuestro hermanito! ¿Verdad, Steve?

Será   Can it be
noviazgo   engagement

baleros   popular Mexican toys

Sin esperar la respuesta, Susan le dijo al vendedor bajo y gordo: —Buenas tardes. ¿Cuánto vale este balero?

—¿Éste?— le preguntó el vendedor. —Vale diez pesos.

—¿Diez pesos? Es muy caro. Le doy un peso.

—Un peso. ¡Qué ridículo! Cuesta ocho pesos.

—Es mucho. Le doy dos pesos.

—Señorita, le doy un precio muy barato — solamente seis pesos.

—Todavía es caro. Le doy tres pesos y nada más.

—Pues, señorita, es imposible. Cinco pesos es mi precio mínimo. Es un precio especial para Ud.

Susan le preguntó a Elena en voz baja: —¿Qué crees? ¿Le pago cinco pesos?

Elena respondió, también en voz baja: —¡Qué no! Tres pesos es un buen precio. El vendedor cree que no sabes regatear y que vas a pagar demasiado. No vale más de tres pesos.

5

Al salir del mercado los tres jóvenes oyeron un grito.
—Señorita. ¡Tres pesos! Está bien.

Al vendedor Susan dijo con énfasis: —Pues, señor, tres pesos es el máximo.

—Lo siento, señorita. No puedo bajar mi precio más. Tengo que ganarme la vida.°

ganarme la vida to make a living

—Entonces, adiós— dijo Susan y salieron los tres.

Unos momentos más tarde, caminando hacia la salida del mercado, oyeron un grito.

—Señorita, señorita. ¡Tres pesos! Está bien. ¡Tres pesos! Está bien.

Era el vendedor de juguetes. Con la cara muy roja, corrió hacia los jóvenes.

Susan encontró su dinero en el enorme bolso de paja° que llevaba, y le pagó los tres pesos. Se rieron todos y caminaron hacia la parada de camiones.

bolso de paja straw bag

1. ¿Lo han visto mucho los jóvenes a su tío?
2. ¿Quién es Elena Encanto? Describa a la joven.
3. ¿Por qué se anima Steve al conocer a Elena?
4. ¿Cómo han pasado los muchachos su tiempo en Guadalajara?
5. ¿Cómo es el Mercado Libertad?
6. Para comprar algo, ¿qué tiene que hacer?
7. ¿Qué se vende en este mercado?
8. ¿Quién es Marta Millón? ¿Quién está con ella?
9. ¿Qué quiere comprar Sue? ¿Qué pasa con el vendedor?
10. Al salir del mercado, ¿quién corre hacia los jóvenes? ¿Por qué?

3. Los aficionados

Sonó el teléfono. Desde el comedor, Susan y Steve pudieron oír a su tío hablando en una voz sorprendida.

—¿Cómo? ¿Marta no es la única? ¿Estás seguro? Sí... Sí... Bueno....

En este momento tío Tony cerró la puerta.

—¿Qué le pasa?— preguntó Susan. —Parece que tío Tony se queda preocupado.

—No sé— dijo Steve, —pero estoy aburrido° con todo esto. Tío se porta de° una manera muy extraña. ¡Y tú! ¡Las compras continuas! ¡Ya conoces a todos los vendedores del mercado! No aguanto° más. Voy al centro.

—¿Solo?— le preguntó Susan con una sonrisa irónica. —¿Por qué no vienes con Elena y conmigo? Pensamos ir a la modista° esta mañana y luego a visitar a la tía de Elena. Después vamos a la peluquería.° ¿No quieres acompañarnos?

—¡Claro que no! ¡A la peluquería! ¡Caramba!— respondió Steve exasperado. —No sé adónde voy, pero voy solo.

Tío Tony entró al comedor y preguntó en una manera distraída.° —¿Vas a salir, Steve? Pues... diviértete.

Y sin decir más, salió de la casa.

Steve cogió su cámara y se fue a la esquina para esperar el camión. Cuando llegó el camión, no paró. Se abrió la puerta y Steve tuvo que saltar° para entrar.

—¿Qué pasa? ¿Por qué no paró el camión para mí?— le preguntó, un poco enojado, al chofer.

—Los camiones no se paran para los hombres, solamente para las mujeres— le explicó el chofer.

aburrido	bored
se porta de	behaves
No aguanto	I'm not putting up with
modista	seamstress
peluquería	beauty salon
distraída	distracted
saltar	to jump

—¡Caramba! ¡Por poco me mata!°— Todavía respirando hondo,° Steve preguntó: —¿Cuánto es el pasaje?

—Cuarenta centavos.

Steve sacó dos veintes° y le pagó.

Dentro de poco tiempo, el camión llegó al centro. Pasó la catedral, el teatro, el palacio de gobierno y las plazas principales. Steve bajó del camión en una plazuela a tres cuadras° de la catedral. Se sentó en una banca° debajo de un árbol grande para planear su día. A todos lados había limpiabotas,° mujeres vendiendo billetes de lotería° y niños jugando a la pelota. En la banca a la izquierda de Steve se sentaba un joven muy delgado, de su edad. Leía el periódico. Tenía el pelo largo y llevaba ropa vieja, aunque no parecía pobre. Había un pedazo de tela° roja a su lado.

El joven alto notó que Steve lo estaba estudiando y le preguntó: —¿Eres aficionado° también?

—¿Aficionado?— le preguntó Steve. —¿Aficionado a qué? ¿Qué es la tela roja a tu lado?

El otro se rió y le explicó: —Esta tela es mi muleta.° Soy aficionado a los toros. Dentro de poco voy a reunirme con unos amigos en la pequeña plaza de toros cerca de aquí. Practicamos la corrida. No somos profesionales pero nos fascinan los toros.

—Me gustaría saber algo de los toros— exclamó Steve, la cara iluminada con interés.

—Pues, ¿quieres acompañarme a la plazuela ahora?

—¡Cómo no! A propósito,° me llamo Steve Summers. Estoy aquí de visita de los Estados Unidos. Y tú, ¿cómo te llamas?

—Soy Paco Puñalado.

Los muchachos caminaron unas cuadras antes de llegar a la pequeña plaza. Al entrar en un cuarto detrás de la plaza, Steve vio un grupo de jóvenes practicando la corrida con varios aparatos curiosos. Algunos practicaban con el estoque.° El "toro" era una máquina metálica con cabeza de cuero y madera. Unos imitaban el toro mientras otros practicaban los pasos con la capa.°

—Como te dije— explicó Paco, —mis amigos y yo somos aficionados a los toros. La mayoría de nosotros

¡Por poco me mata! You almost killed me!
respirando hondo catching his breath

veintes twenty centavo coins

cuadras blocks
banca bench

limpiabotas shoeshine boys
billetes de lotería lottery tickets

tela cloth

aficionado ardent fan of bullfighting

muleta scarlet cape used in the kill at a bullfight

A propósito By the way

estoque sword

capa yellow and magenta cape

9

somos universitarios. Yo soy estudiante de la facultad de ingeniería.°

facultad de ingeniería
engineering school

Steve preguntó a Paco: —¿De veras? ¿Son estudiantes? ¿Y tienen corridas de toros aquí?

—Pues, sí. Una vez al año uno de nosotros compra un torito y participamos en una corrida. En quince días° voy a ser matador en la corrida aquí. Te invito.

quince días two weeks

—Muchas gracias— respondió Steve con entusiasmo.

—Pues, si te interesa, puedes ayudarme ahora. Quédate aquí. Imita el toro mientras practico mis "naturales."° Los jóvenes practicaron por unas horas. Aún Steve ejecutó varios pasos con la capa. Si no fuera por el pelo rubio de Steve y el pelo moreno de Paco, los dos podrían pasar por hermanos con las figuras tan altas, delgadas y fuertes.

naturales the most clas-
sical bullfight passes

—Ay, ¡mira la hora!— exclamó Steve de repente.° —Tengo que regresar para comer. ¡Y ya son las dos! ¿Dónde tomo el camión?

de repente all of a sud-
den

Paco le mostró la parada de camiones. —Dame tu número de teléfono. Nos reunimos pronto. ¿Está bien? Adiós. Nos vemos.

—Hasta pronto— le dijo Steve con una sonrisa, y subió al camión.

Sentado en el camión, Steve cerró los ojos y pensaba en los sucesos de la mañana. Estaba distraído° y no se dio cuenta de° que había pasado su parada, hasta que vio el campo por las ventanas.

distraído distracted

no se dio cuenta de
didn't realize

—Ahora, ¿qué hago?— se preocupó. Mientras pensaba en su dilema, el camión paró cerca de una casita del campo. No había nadie en el camión, excepto el chofer y, en este momento, él también bajó. Le gritó a Steve:

—Aquí termina la ruta. ¿No va a bajar?

—Se me pasó la parada que quería. ¿Qué hago ahora?— le preguntó Steve.

—Espere Ud. media hora. Voy a regresar por las mismas calles.

— -Gracias— le dijo Steve, sintiéndose algo mejor. Pensaba: —Voy a llegar tardísimo para la comida. Todos estarán muy preocupados.

Una hora después, Steve entró a la casa pero nadie estaba allí.

—¿Dónde están mi tío y mi hermana?— le preguntó a la criada.

Esperanza contestó muy cortés: —Su hermana come con la familia de Elena y el Sr. Amoroso salió con la Sra. de Millón para comer afuera. La Sra. de Millón vino esta mañana para su sentada.° Ud. sabe que el Sr. Amoroso está pintando su retrato, ¿no? Pues, después de la sentada, salieron los dos. Es curioso, jamás he visto al Sr. Amoroso portarse así. Nunca tiene tanto interés en una mujer. Pero, con esa Sra. de Millón, ¡Dios mío!

sentada sitting (for a portrait)

—¡No me digas!— respondió Steve, la mente en otro lado. Comiendo solo, pensó: —¡El primer día en que tengo algo que decir, y no hay nadie en casa para escucharme! Pues, así es la vida. Steve Summers... matador de toros... hum... no suena mal°....

no suena mal it doesn't sound bad

1. ¿Con quién habla tío Tony por teléfono?
2. ¿Adónde van Susan y Elena? ¿Adónde va Steve?
3. ¿Por qué no se para el autobús para Steve?
4. Describa el centro de Guadalajara.
5. ¿Con quién habla Steve? ¿De qué se hablan los dos?
6. ¿Adónde van los dos muchachos?
7. Explique lo que hacen los aficionados.
8. ¿Qué le pasa a Steve en el camión al regresar a casa?
9. ¿Por qué está desilusionado Steve al regresar a casa?
10. ¿De qué está sorprendida la criada?

4. Noche de sorpresas

—¿Un matador? ¡Qué romántico!— exclamó Susan cuando oyó a su hermano hablar de Paco Puñalado.
—¿Cómo es? ¿Es guapo? ¿Es alto?
—¡Ay, Sue! En primer lugar, no es matador. Es estudiante, aficionado a los toros. Es bastante bien parecido° — tiene los ojos negros, pelo largo, moreno; es alto y muy delgado. ¿Qué te importa?

bien parecido good looking

—¡¿Qué me importa?! ¡Tiene que ser guapo para mí!
—¿Para ti? Olvidas que es mi amigo, ¡no es tu novio!°

novio serious boyfriend

—Pero, ¿quién sabe? Es posible. Sería muy romántico conocer a Guadalajara con un matador de toros...
—¡Ay, Sue! ¡Eres imposible!
—Sr. Summers— anunció Esperanza, —Ud. tiene una llamada por teléfono.
Steve contestó el teléfono y dijo: —Bueno. Hola, Paco. ¿Qué tal? ¿Cómo estás? Si... Sí...
Susan escuchó la conversación con la cara animada.
—Sí, déjame preguntar— continuó Steve. —Sue, Paco quiere saber si queremos encontrarlo en la Plaza de Armas. Dice que esta noche pasa algo que debemos ver. ¿Quieres ir con nosotros?
—¡Claro! Con Paco... matador de toros... ¡Ay de mí!
—¿Paco? Sí, vamos. Claro... Hasta luego.
Colgó° el aparato y dijo: —Sue, invita a Elena a ir con nosotros.

Colgó He hung up

—¿Por qué, Steve? ¿Eres demasiado tímido para invitarla tú?
Sonrojado,° Steve no contestó.

Sonrojado Blushing

Más tarde Susan, Elena y Steve llegaron a una plaza

12

bonita frente al Palacio de Gobierno, un edificio colonial en el centro de la ciudad. Había muchos árboles, bancas y flores. En el centro de la plaza, había un kiosco.° Una banda tocaba. Se sentaron los tres para esperar a Paco. Fascinados, Susan y Steve miraron a toda la gente en la plaza.

kiosco small pavillion with bandstand

—¿Qué pasa?— le preguntó Steve a Elena.

—Es una vieja costumbre mexicana que todavía se practica aquí en Guadalajara. Los jóvenes se pasean° alrededor del kiosco en una dirección y las muchachas en la dirección opuesta. Fíjense, de vez en cuando,° algunos se miran, y otros se saludan. A veces un joven se acerca a una señorita y los dos se pasean juntos.

se pasean walk

de vez en cuando once in a while

—¡Ay, qué romántico!— exclamó Susan.

—Pues, sí, es una costumbre muy romántica— añadió Elena, echando una mirada° a Steve. —Desafortunadamente para los jóvenes, las madres de las muchachas también están aquí, sentadas en las bancas, vigilando a las hijas. Todavía no ha desaparecido completamente la costumbre de las chaperonas. A propósito, Steve— dijo Elena con una cara de pícara,° —¿no crees que las tapatías son las muchachas más bonitas que has visto?

echando una mirada glancing

cara de pícara impish look

—Las tapa... ¿qué?

—Tapatías. Así se llaman a las muchachas de Jalisco. ¿No crees que son las más bonitas?

—Pues, no sé— dijo Steve, muy incómodo.

Afortunadamente para él, en este momento llegó Paco.

—¡Hola! ¿Cómo estás, Steve?— saludó Paco, dándole la mano. —Preséntame a estas muchachas encantadoras.

—¡Cómo no! Sue y Elena, quiero presentarles a mi amigo Paco Puñalado. Paco, ésta es mi hermana Sue y ésta es nuestra amiga, Elena.

Paco miró primero a Elena, vestida de ropa oscura, sencilla y elegante. Después miró a Sue con su vestido de colores vivos, estilo "mini." Sonrió y dijo: —Mucho gusto. ¿Han visto el paseo? ¿Qué les parece?

—¡Es muy romántico!— contestó Sue, mirando a Paco.

—Pues, si ya han visto de todo— dijo Paco con sonrisa, —vamos a dar una vuelta° en calandria,° otra costumbre bella de Guadalajara.

dar una vuelta take a ride

calandria horse drawn carriage

—¿Calandria? ¿Qué es eso?— le preguntó Steve.

13

—Vas a ver. Vamos.

Los jóvenes caminaron alrededor del kiosco, cruzaron la calle y llegaron a la Catedral. Este edificio fue construido en diferentes estilos de arquitectura porque se tardaron trescientos años en terminarla.

Al lado de la Catedral ellos vieron un coche con caballo y chofer.

Los cuatro subieron a la calandria y lentamente fueron a otra plaza. Al acercarse a la plaza, vieron la llegada de pequeños grupos de hombres, todos vestidos de charro° y todos llevando instrumentos musicales. En la distancia pudieron oír a los varios grupos tocando distintas canciones a la vez.

 charro Mexican cowboy

—¡Ay, qué ruido!— dijo Steve.

—¡Qué bonita música! ¡Qué romántica!— exclamó Susan. —¿Quiénes son? Y los instrumentos que tocan, ¿qué son?

Paco les explicó: —Estos hombres son mariachis. Un grupo de mariachis consiste en tres a doce hombres. Casi todos tocan instrumentos de cuerda:° violines, guitarras y guitarrones.° También hay trompetas. Bajamos aquí para escuchar un rato.

 cuerda string
 guitarrones huge guitars

Los cuatro bajaron de la calandria y encontraron un lugar para sentarse en la plaza. De repente Susan exclamó: —Miren. ¿No es aquella mujer la que vimos con tío Tony en el mercado?

—¡Sí! Es Marta Millón— dijo Elena. —¡Fíjense! Está con otro hombre y parece que están enamorados.

—¡Qué barbaridad!— grito Steve. —¡Qué audacia!°

 audacia nerve

—Y, ¡qué reacción fuerte! ¡Parece que tú estás celoso!°— se burlaron° los otros.

 celoso jealous
 se burlaron teased

—Tío Tony tiene muchas amigas, Steve. No te preocupes, él no está enamorado de nadie. No le molesta° mucho si la Sra. de Millón sale con otro.

 molesta bother

—Al contrario— dijo Steve muy en serio. —El otro día Esperanza me contó que jamás ha visto a tío Tony enamorarse de nadie... hasta ahora. Ella cree que nuestro tío está muy enamorado de Marta Millón... ¡Y, aquí está Marta Millón con un hombre rubio!

—¡Ay, pobre tío!— murmuró Susan. —La primera vez que se enamora de una mujer y ella lo traiciona!° ¡Qué tristeza! ¡Pobre tío!

 lo traiciona betrays him

14

—Sí, es verdad. Pero no hay nada que podamos hacer— dijo Elena. —Escuchamos la música, ¿eh?

Los jóvenes pasaron más de una hora mirando a los enamorados y escuchando la música de los mariachis. Por fin, se despidieron de Paco y regresaron a casa.

De repente, empezó a llover con una fuerza tremenda, y así, regresaron muy mojados.°   **mojados** wet

Cuando tío Tony les abrió la puerta, estaba enojado con ellos. —¿Dónde han estado? ¿Por qué no estuvieron aquí para conocer a Ramón?

—¿A Ramón?— preguntaron Sue y Steve a la vez. —¿Quién es Ramón?

—¿No les dije?— exclamó tío, sorprendido. —Perdón. Se me olvidó de° mencionarlo. Ramón es nieto de   **Se me olvidó de** I forgot
Rogelio Riofrío. Viene a estudiar en la Universidad de Guadalajara. Va a quedarse aquí.

Entraron en la sala donde estaba sentado un muchacho moreno, bajo y un poco gordo. Sin embargo, se podía decir que era guapo porque tenía un aspecto elegante.

Todos se saludaron y hablaron todos a la vez. Estaban conversando cuando, después de ver un rayo° tremendo   **rayo** flash of lightning
y oír el tronar,° se les fue la luz.°   **tronar** thunder
  se les fue la luz the lights went out

—¡Caramba! ¡La electricidad!— se quejó° tío Tony.   **se quejó** complained
—Cada vez que llueve a cántaros,° se nos va la luz. Me   **llueve a cántaros** it pours
acuesto. Buenas noches, jóvenes.

Tío Tony se fue a dormir pero Steve y Sue se quedaron hablando con su nuevo amigo hasta muy tarde — con solamente la luz de una vela.°   **vela** candle

1. Paco le interesa mucho a Sue. ¿Por qué?
2. ¿Quién llama por teléfono? ¿Qué quiere saber él?
3. ¿A quién quiere invitar Steve?
4. ¿Cómo es la plaza donde los tres esperan a Paco?
5. Explique la costumbre del paseo.
6. ¿Quiénes son los tapatíos?
7. ¿En qué dan una vuelta los jóvenes? ¿Adónde?
8. ¿A quiénes ven los jóvenes en la plaza?
9. ¿Por qué está enojado tío Tony cuando los muchachos regresan a casa?
10. ¿Quién es Ramón?

5. Rivales románticos

—Laquetape... Quelatapque... Paquelatque... ¿Adónde vamos hoy, tío?— preguntó Steve.

—Tlaquepaque.— Tío Tony les explicó: —Es un pueblito conocido por su artesanía.° Allá van a ver mucho que les interesa: la fábrica de vidrio soplado,° las alfarerías,° las joyerías y otras tiendas de artesanos. Lleven bastante dinero. Seguramente van a comprar mucho.

artesanía crafts
vidrio soplado blown glass
alfarerías ceramic stores

Más tarde, cuando los cinco amigos jóvenes llegaron a Tlaquepaque, decidieron dividirse en dos grupos y reunirse después en un café.

Steve, Paco y Ramón se fueron primero a la fábrica de vidrio soplado. Pasaron media hora observando a los artesanos hacer platos, vasos y jarras de vidro soplado.[1]

—¡Parece muy fácil!— exclamó Ramón.

—Te aseguro que no es nada fácil. Es que los artesanos aprendieron su oficio de niños y sólo después de muchos años de práctica, pueden trabajar con tanta destreza° y rapidez— explicó Paco.

destreza skill

—¿Van a comprar algo?— les preguntó Ramón.

—Yo no— dijo Paco.

—Ni yo tampoco— dijo Steve. —Estoy seguro de que mi hermana compra suficiente para nosotros. Vamos a ver la cerámica.

---

[1] In order to make any object, the artesan puts the necessary amount of glass into the fire. He then shakes the liquified glass stuck to a metal tube. He blows through the tube, turning it slowly in the air, and, using a few instruments, he shapes a jar, a plate or a glass. He usually works very quickly because children run from the fire to his table with the materials he needs. Looking at the quantity of hot liquified glass and the rapid, continuous movements of the artesan, it is surprising that there aren't any accidents.

Entraron en una alfarería. Colocados° en todas partes había jarras, platos, azulejos,° vasos y floreros — todos hechos y pintados a mano. Un hombre viejo estaba sentado en el suelo pintando un plato.

—Se dice que cada diseño° es original— explicó Paco. —La cerámica de Tlaquepaque es famosa.

—Sin duda mi hermana compra mucho aquí también. Si Uds. no quieren comprar algo, vamos al café— dijo Steve. —Tengo mucha hambre y estoy cansado de ver tantas cosas.

—Está bien. Vámonos— decidieron los otros.

Mientras tanto, como Steve sospechaba, Sue había comprado un montón de cosas. Las muchachas se fueron primero a las joyerías. A Sue le encantaban las joyas de plata. Compró varios anillos° y aretes.° —¿Este broche está hecho a mano?— le preguntó a Elena.

—¡Claro! Los joyeros de México son famosos por todo el mundo. Usan muchos diseños distintos. El hacer joyas es un arte popular muy antiguo — aún los aztecas hacían objetos muy finos de plata.

Después de visitar las joyerías, las muchachas fueron a la fábrica de vidrio soplado y a las alfarerías. Cuando por fin llegaron al café, era imposible ver a Sue y a Elena detrás de los inmensos bolsos y paquetes que llevaban. Sobre los paquetes sólo se podía ver el pelo rojo de Sue y el pelo moreno de Elena.

—¡Ay, Sue! ¿Dejaste algo para la gente que va de compras mañana?— se burlaron° los tres muchachos.

—Al contrario— respondió Sue, —hay mucho que no compré. Quiero regresar otro día para comprar una jarra de vidrio azul, unos broches de plata para mi mamá y mis tías, unos azulejos y...

—¡Basta, Sue! ¿Quieren un refresco, muchachas?— les preguntó Steve.

—¡Sí! Tenemos mucha sed— respondieron.

Mientras tomaron los refrescos, llegó un grupo de mariachis. Los jóvenes estaban contentos, tomando sus refrescos y escuchando la música. Después de un rato, Ramón les dijo: —Dispénsenme un momento, amigos.

Pasaron unos minutos y Paco, también, salió para hacer algo. Cuando los dos regresaron a la mesa ni Ramón ni

Colocados Placed
azulejos tiles

diseño design

anillos rings
aretes earrings

se burlaron joked

17

Paco explicaron nada. Estaban sonriendo misteriosamente como si tuvieran° secretos.

Los muchachos pasaron casi toda la tarde en el café hablando y escuchando a los "jarabes" y otra música típica de Jalisco.

Durante la conversación Ramón les preguntó: —A propósito, ¿qué pasa con tío Tony?

—¿Por qué preguntas esto?— respondió Steve.

—Pues, anoche sentí que interrumpí algo importante cuando regresé a casa. Muchos papeles estaban tirados por la mesa del comedor — información sobre minas, inversiones° de dinero, bancos... y algo que me extraña aún más° — las páginas sociales de varios periódicos. Mi abuelo y tío Tony estaban en el taller° hablando seriamente pero se callaron° cuando me vieron. No me explicaron nada y recogieron° los papeles de la mesa.

—¡Eso sí me parece curioso!— comentó Paco. —Sue y Steve me han contado de todas las cosas extrañas que están pasando con tío Tony — sus desapariciones misteriosas, la gran cantidad de llamadas telefónicas, el cariño que siente por Marta Millón y el amor aparente de Marta Millón por aquel rubio que vimos en la Plaza de Mariachis. Y ahora, esto de las minas, inversiones y páginas sociales. Se parece a una de esas películas que salen en la televisión o en el cine.

—Me molesta que no podamos hacer nada para ayudar a tío Tony. Creo que tiene problemas grandes...— dijo Elena muy seria.

—O quizá sólo quiere hacer algunas inversiones. ¿Por qué nos preocupamos tanto? Tío Tony sabe lo que está haciendo— dijo Steve en una manera práctica.

—Tienes razón, Steve— comentó Elena. —Nos preocupamos demasiado. Regresamos a casa. Estoy cansada.

Llegaron todos a casa, cenaron y se acostaron temprano. A las dos de la mañana Sue se despertó.

—¿Estoy soñando?° Oigo música de mariachi.

Brincó° de su cama y corrió a la ventana. En este momento tío Tony entró en la alcoba.°

—Te traen serenata°— le explicó. Aunque tío Tony tampoco estaba completamente despierto, estaba sonriendo.

—¿A mí?— exclamó Sue. —¡Qué romántica! ¿Por qué vienen aquí? ¡Qué bonita es la música!

—Mira abajo, Sue. ¿Ves a alguien que conoces?

—¡Es Paco! ¿Me trajo Paco la serenata? ¡Ay de mí! ¡Paco me quiere!

Steve entró en la alcoba. —¡SUE! ¿Qué es este ruido? Yo estaba bien dormido y me despertó.

—¡Oye, Steve! ¡Paco me trajo serenata!— exclamó Sue, muy feliz.

Los tres escucharon la música desde la ventana. Cuando los mariachis habían terminado, todos regresaron a las camas — tío Tony y Steve a dormir; Sue a soñar con Paco y la serenata.

A las cuatro de la madrugada,° Sue se despertó otra vez. —¡Qué sueño realístico!— pensó. —Oía música de mariachi.

Ahora completamente despierta, se dio cuenta de que no era sueño. Otra vez era música. Corrió a la ventana y vio a un grupo de mariachis. —¡Ay! ¡Qué romántico es Paco!— le dijo a Steve cuando llegó a su alcoba. Steve miró por la ventana, se rió y le dijo:

—No es Paco que es romántico. ¡Mira!

—¡Ay, caramba! ¡Es Ramón! Ramón me trajo serenata, también. ¿Qué voy a hacer? ¡Ambos me quieren!

—Ahora sabemos adónde fueron Ramón y Paco cuando salieron de la mesa en el café en Tlaquepaque. Se fueron para arreglar las serenatas. No sabían que cada uno tenía la misma idea. ¡Qué gracioso!°— se rió Steve.

—No es gracioso, Steve, ¡es romántico y bonito! ¿Por qué no llevas serenata a Elena?

—¡Bah! ¡Estás loca!— exclamó Steve.

Sue regresó a la cama pero no podía dormir. Pensaba en Ramón... en Paco... en Ramón... en Paco...

madrugada early morning

¡Qué gracioso! How funny!

1. ¿Qué es Tlaquepaque?
2. ¿Adónde van los tres muchachos?
3. Después de visitar las tiendas, ¿qué hace el grupo de jóvenes?

4. Mientras toman refrescos, ¿adónde van Paco y Ramón?
5. ¿Qué ha descubierto Ramón de tío Tony?
6. ¿Por qué se despierta Sue a las dos y a las cuatro de la mañana?
7. ¿Quiénes le trajeron a Sue las serenatas?
8. En México las serenatas también se llaman gallos. ¿Puede adivinar por qué?
9. Describe la reacción de Steve a las serenatas.
10. ¿Qué piensa Sue de Paco y de Ramón?

6. Paco, el matador

—¿Qué pasa?— preguntó Elena a Sue al entrar en la sala. —Acabo de ver° a tío Tony en su taller. ¡Está silbando!° ¿Qué pasa?

Acabo de ver I just saw
silbando whistling

—Pues, ¡fíjate!— dijo Sue. —La criada me dijo que Marta Millón viene hoy para su sentada. Y después, va a salir con tío Tony.

—Ah, tu tío está enamorado de verdad— sonrió Elena.

—Pues, ¿quién sabe?— continuó Sue. —Pero, no te olvides de que hace pocos días vimos a Marta Millón en la Plaza de Mariachis con un hombre rubio.

—Es cierto— dijo Elena, pensativa. —Se me había olvidado.° Espero que...

Se me había olvidado I had forgotten

En este momento tío Tony entró en la sala. Parecía muy triste.

—¿Por qué pusiste cara tan triste, tío?— preguntó Sue.

—Pues... no es nada. Es que... pues... acaba de llamar una amiga. Ella iba a venir aquí hoy, pero ahora dice que ya no puede.

Elena sugirió:° —Ya que° ahora no tiene planes, ¿por qué no va con nosotros a la corrida de toros? ¿Sabe Ud. que Paco va a ser matador esta tarde?

sugirió suggested
Ya que Since

—Sí, tío— exclamó Sue. —Ven con nosotros. Te hará° sentir mejor.

Te hará It'll make you

—Está bien, niñas. Voy con ustedes.

Más tarde llegaron las muchachas, tío Tony, Steve y Ramón a la pequeña plaza de toros para ver la corrida especial de Paco. Se sentaron en la primera fila.

Ramón les explicó:—Esta corrida va a ser algo diferente de las que se ven en las plazas grandes. Como Paco es

21

matador aficionado, no va a llevar traje de luz° y va a torear un toro joven. A pesar de° estas diferencias, las corridas de aficionados son muchas veces muy buenas.

—Ya empieza— exclamó Sue. —No sé nada de la corrida. ¿Qué está ocurriendo?

—Pues, primero es el paseo— explicó tío Tony, desinteresado. —Primero entran los matadores, seguidos por los banderilleros, los picadores, los peones y las mulas. Cuando termina el paseo, sale el toro.

—Allí está. Tiene dos años, más o menos, y pesa aproximadamente doscientos kilos, es decir 440 libras. Es pequeño, pero fuerte— explicó Ramón, muy paciente.

—No me gustaría ser Paco en este momento— comentó Steve muy en serio.

En el centro de la plaza hizo Paco los primeros pasos con el toro. Después los picadores picaron° el toro con una especie de lanza larga.

—A mucha gente no le gustan los picadores— comentó Ramón, —pero es muy necesario picar el animal para poder controlarlo después. A veces los aficionados silban° durante la pica para demostrar su desdén.

—¿Cómo se llaman los palos?°— preguntó Sue sin quitar la vista de Paco. —Los colores son muy bonitos.

—Son las banderillas. Los banderilleros clavan° tres pares de banderillas en el morillo° del toro.

Mientras Sue observaba todo, Ramón le preguntó con una mirada curiosa: —¿Te gusta este espectáculo?

—Sí, me interesa muchísimo. Es muy bonito. La gracia de los hombres es algo extraordinario y el drama del hombre contra el animal fuerte es muy emocionante. Además, conocemos al matador. ¿No crees que Paco es fantástico?

Ramón, ya muy celoso de Paco, contestó: —Pues, es... es... atrevido.°—Y siguió su explicación sin más comentario acerca de Paco. —Ahora llega la faena,° la parte más importante de la corrida. Paco ahora tiene la muleta° en la mano. Va a hacer varios pasos antes de matar el toro. A propósito, ¿dónde está Elena? Seguramente, ella no quiere perder la faena.

—Vio a su tío Marcos hace unos minutos— contes-

traje de luz suit of lights (worn by matador)
A pesar de In spite of

picaron pierced

silban whistle (in disapproval)

palos sticks

clavan stick
morillo large muscle behind the head

atrevido daring
faena kill
muleta scarlet cape used at the time of the kill

22

tó Steve. —Fue a saludarlo. Ahora regresa. ¡Elena! ¡Apúrate! Empieza la faena.

Se sentó Elena, y en voz baja, les dijo a sus amigos: —Oigan. ¡Acabo de ver a Marta Millón... con el rubio! Están sentados arriba, detrás de nosotros.

—¡Ay, caramba! ¡Por eso no podía ir a la casa hoy!— dijo Steve. —¡No dejen que tío Tony la vea!°

No dejen... vea! Don't let Uncle Tony see her!

En este momento Paco le llamó a Sue. Quitó la montera° de la cabeza y se la tiró.

montera bullfighter's hat

—¡Ay! ¡Qué honor para ti!— exclamó Elena.

—¡Qué sorpresa! ¡Qué romántico!— Sue suspiró.

Sonriendo y con la montera negra en la mano, Sue miró el comienzo de la faena.

Ramón, todavía más celoso, les dijo: —Pues, ahora vamos a ver la habilidad de nuestro amigo.

Pacó entró en la plaza y citó° al torito. Hizo algunos naturales. Durante el cuarto natural, Paco movió la muleta demasiado despacio. Al horror de todos los presentes, el toro lanzó° a Paco por el aire.

citó provoked

lanzó threw

—¡Dios mío!— gritaron sus amigos.

Muy afortunadamente, no lo habían tocado los cuernos° del toro y Paco podía levantarse casi sin herida.°

cuernos horns

herida wound

—Ay, ¡gracias a Dios! ¡Está bien!— gritó Sue, sus ojos llenos de lágrimas.°

lágrimas tears

Paco ejecutó varios naturales más y terminó esta serie de pasos con un paso de pecho.°

paso de pecho chest pass

Llegó el momento de la verdad.° Pacó se paró cara a cara con el toro, levantó el estoque° a la altura de su hombro. Apuntando° bien, corrió hacia el toro y saltó. El estoque entró en la espalda del toro en el lugar perfecto. El animal zigzagueó° unos momentos y se cayó, sangrando° en la arena.

momento de la verdad the kill

estoque sword

Apuntando Aiming

zigzagueó zigzagged

sangrando bleeding

Paco, sonriendo y muy orgulloso de su éxito, caminó alrededor de la plaza. La gente gritó con emoción: —¡Olé!

Algunos tiraron pañuelos blancos, sombreros y otras cosas. Todos gritaron.

—¿Le van a dar la oreja?— preguntó Elena.

—¿La oreja? ¡Qué bruto!— exclamó Steve.

—¿No sabías, Steve, que es un gran honor recibir la oreja?— explicó Ramón. —Si es una faena muy buena

23

Al horror de todos los presentes, el toro lanzó a Paco por el aire.

y si la gente grita mucho, el presidente de la plaza autoriza el corto de una oreja.

—Lo hacen ahora— interrumpió Elena. —¡Cortan la oreja al toro!

La gente gritaba y señalaba con los pañuelos mientras se cortaba la oreja.

Paco, aún más orgulloso y feliz, dio otra vuelta por la plaza y se paró enfrente de sus amigos.

—Para ti...— le dijo a Sue con una sonrisa grande. Le dio la oreja.

—¡Qué romántico!— exclamó Sue, sonriendo también. —Voy a guardarla para siempre. Nunca voy a olvidar este momento.

—¡Bah!— dijo Ramón, todavía celoso. Se puso mala cara. —Guardar una cosa tan fea como la oreja de un animal muerto. ¡Qué barbaridad! ¡Qué disgusto!

Tío Tony miró a Sue con una sonrisa pequeña. —¡Qué buen recuerdo para una turista!

Suspirando profundamente, les dijo: —Oigan, jóvenes. Me marcho ahora. Dispénsenme. Los veo más tarde.

Salió inmediatamente.

—Adiós, tío— dijeron todos.

Elena añadió a sus amigos:—Pues, esta vez me alegro mucho de que tío Tony salió temprano. Creo que no vio a Marta Millón con el rubio.

Cuando vieron a Paco después de la corrida, lo felicitaron ° mucho. Ramón no podía felicitarlo porque vio como Sue miraba a Paco con mucho afecto. °

felicitaron
congratulated
con mucho afecto
affectionately

—¡Vamos a bailar!— sugirió Ramón, queriendo salir de la plaza. Pero no estaba tan celoso del éxito de Paco en la corrida, como estaba celoso de su éxito en el amor.

Se fueron a un salón de baile en el décimo piso de un edificio del centro. Bailaron por muchas horas. Steve y Elena bailaron, hablaron, comieron y descansaron.

Mientras tanto, Sue, la pobre, bailaba y bailaba sin parar. Primero bailó con Ramón, después con Paco, Ramón, Paco, Paco, Ramón,... y, así toda la noche.

Cuando, por fin, Sue podía descansar un poco, Elena le dijo: —¡Pobrecita! Parece que tus amigos celosos no van a permitirte descansar.

—No— respondió Sue, respirando muy hondo. —Antes pensaba que sería muy romántico tener dos novios a la vez. Ahora no estoy segura. ¡Es mucho trabajo! ¡Solamente puedo pensar en cuánto me duelen los pies!° **me duelen los pies** my feet hurt

1. Según la criada, ¿por qué está alegre hoy tío Tony?
2. ¿Por qué lo invita Elena a tío Tony a acompañarlos?
3. ¿Cuáles son algunas diferencias entre una corrida de toros profesional y una corrida de aficionados?
4. Describa el paseo, la faena y el momento de verdad. ¿Qué hacen los picadores?
5. ¿A quién ve Elena?
6. ¿Qué le pasa a Paco durante los naturales?
7. ¿Por qué se corta la oreja al toro?
8. ¿Cómo muestran los espectadores su desdén a los banderilleros?
9. ¿La ha visto tío Tony a Marta Millón con el otro hombre?
10. ¿Qué piensa Sue de tener dos novios a la vez?

7. La búsqueda de claves

—¿Por qué están las casas decoradas de papeles?— preguntó Sue a Paco cuando los dos jóvenes regresaron a casa una tarde.

—Ya verás. Esta noche vamos a una fiesta muy interesante. Paso por ti° a las ocho y media— dijo Paco rápidamente y la dejó en la puerta de la casa sin despedirse de ella.

Paso por ti I'll pick you up

—¡Paco!— gritó Susan, un poco enojada. Pero Paco ya había subido al coche y no la oyó.

—¿Por qué gritas?— preguntó Elena que también acabó de llegar a la casa.

—Ese Paco es muy guapo y muy divertido, pero, a veces, me hace enfadar.° Cree que quiero salir con él todas las noches. Sí, me cae bien° pero, a veces, es demasiado orgulloso. Además, quiero salir con Ramón de vez en cuando.

me hace enfadar he makes me angry
me cae bien I like him

—Es verdad. ¡Qué ridículos son los muchachos! Son tan celosos. Tengo otro problema con Steve. Siempre salimos juntos pero nunca me dice nada bonito. Muchas veces me ignora totalmente. Pues, así es la vida— dijo Elena. Añadió: —A propósito, te dijo Paco que vamos a la feria esta noche, ¿verdad?

—¿La feria? ¿Qué es? No me explicó nada.— Todavía estaba enojada con Paco. Los ojos azules brillaban con ira.

—Esta noche se trae la estatua de la Virgen de Zapopan a nuestra parroquia.°

parroquia parish

—¿La Virgen de Zapopan? ¿Quién es?

—No es una persona, es la estatua de una virgen morena de la iglesia de Zapopan. Siempre celebramos su llegada con una fiesta grande.[1]

—Ah. Ya entiendo. Pues, esta noche voy a poner a Paco en su lugar— afirmó Sue.

—¡Qué problemas tienes! Bueno, Sue, nos vemos más tarde, ¿eh?

—Sí, hasta luego— dijo Sue y entró en la casa.

Esa noche llegó Paco para llevar a Sue, a Steve y a Elena a la iglesia. Vieron la procesión en que se llevaba la Virgen a la iglesia. Entraron en la iglesia para verla de cerca. Después de regresar a la calle, los muchachos trataron de ganarles unos "premios"° en los puestos de juegos.° Paco ganó cinco premios para Sue, pero ella puso mala cara y no le dijo nada. — **"premios"** prizes / **puestos de juegos** game booths

—¿Qué pasa contigo?— le preguntó Paco, un poco enfadado. —¿Por qué estás tan callada? ¿Te sientes mal?

—No, no. Estoy bien— ella le contestó algo cortante.° — **algo cortante** somewhat sharply

Llegó la hora para el castillo. Fascinados, todos miraron el incendio del castillo, una estructura enorme hecha de madera. En todas partes del castillo había cohetes° y otros fuegos artificiales.° De repente, los cohetes hicieron un ruido tremendo y volaron por todos lados. Sue se asustó. Algunos cohetes volaron en el aire con colas° de luz y otros explotaron en el suelo. — **cohetes** rockets / **fuegos artificiales** fireworks / **colas** tails

—¡Qué bonito!— exclamó Steve.

—¡Ay, no me gusta!— gritó Sue, tapando° las orejas. —¡Me dan miedo tanto ruido y tanto fuego! ¡Vamos! — **tapando** covering

Paco y Sue fueron a un restaurante mientras Elena y Steve se quedaron para ver el resto de los fuegos artificiales. Entonces, fueron ellos también al restaurante.

Los cuatro jóvenes platicaron° un rato, tomando nieve° y refrescos. Después de unos minutos Steve exclamó: —¡Miren allá! ¿No es tío Tony? Me dijo que no iba a ir a la feria. ¿Cambió sus planes? — **platicaron** chatted / **nieve** snow cone

---

[1] The Virgin of Zapopan is a small and dark statue. The body is made of a corn cob with the head of wood. According to the legend concerning her first appearance in 1540, the Virgin was responsible for bringing sunshine and rain with her to the fields. As a result, Zapopan had a very good harvest that year. Now they carry the Virgin to each church in Guadalajara every summer to assure good crops. When the Virgin arrives at a church, there are parades, religious ceremonies, fireworks and all kinds of parties. It is, at the same time, a religious and entertaining experience.

28

—Sí, tienes razón, es tío Tony— dijo Sue.

Los jóvenes agitaron las manos° para llamarle la atención, y Steve le gritó en voz alta: —¡Tío! ¡Tío Tony!

Les pareció que tío Tony los vio, pero no respondió. Bruscamente, miró a todos lados. Entonces llegó Rogelio Riofrío en coche y tío Tony saltó para entrar mientras que Rogelio Riofrío puso en marcha° el automóvil.

Ahora Steve, muy confundido e interesado, les dijo a sus amigos: —¡Vamos a seguirlos! Yo quiero saber qué está pasando aquí.

Rápidamente los cuatro subieron al coche de Paco. En unos minutos se acercaron al coche de Rogelio Riofrío. Lo siguieron por las calles de la colonia hasta llegar a la Avenida Vallarta. Cuando se pararon en una de las colonias más elegantes de la ciudad, los jóvenes se dieron cuenta de que Rogelio Riofrío y tío Tony estaban siguiendo otro automóvil — muy grande y rojo.

—¿De quién será el otro auto?°— exclamó Sue.

El coche rojo se paró frente a una casa muy grande. Un hombre alto y rubio bajó del coche, subió la escalera y tocó a la puerta. Una mujer muy distinguida apareció.

—¡Es Marta Millón!— exclamó Elena.

—Sí, y el hombre rubio...— añadió Paco.

Rogelio Riofrío estacionó° su coche en un lugar oscuro debajo de un árbol. Los muchachos escondieron° su coche calle abajo° a ver lo que pasaba sin ser visto.°

Desde su auto vieron a Rogelio Riofrío bajar del coche y gatear° silenciosamente entre los arbustos° delante de la casa. Se acercó para escuchar la conversación entre el hombre rubio y la mujer. Después de unos momentos, Marta Millón entró en la casa y regresó con un sobre° que le dio al rubio.

—¿Qué pasa?— suspiró Sue.

—No sé. No veo muy bien— le dijo Paco, un poco impaciente. —Vamos a esperar.

Pero en ese instante, el hombre rubio se despidió de la mujer y regresó a su coche. Rogelio Riofrío también corrió a su auto pero llegó demasiado tarde. El coche rojo ya había desaparecido. Tío Tony y Rogelio Riofrío se quedaron en el coche hablando por unos minutos.

---

agitaron las manos waved

puso en marcha started

¿De quién...auto? Wonder who owns the other car?

estacionó parked

escondieron hid
calle abajo down the street
sin ser visto without being seen
gatear crawl
arbustos shrubs

sobre envelope

Cuando Rogelio Riofrío y tío Tony salieron, los jóvenes los siguieron hasta llegar a la casa de tío Tony.

—Pues, parece que éste es el fin de las aventuras para esta noche— dijo Paco. —Vamos a dar una vuelta. Tío Tony no debe sospechar° que lo vimos. ¿Están todos de acuerdo?°

sospechar to suspect

¿Están de acuerdo? Do you agree?

Los cuatro se pasearon en coche por un rato y regresaron a casa. Al llegar vieron que no estaba el coche de Rogelio.

Steve y Sue entraron en la casa después de despedirse de Elena y Paco. Tío Tony salió de su taller y cerró la puerta. En una manera agitada, dijo: —¡Ah, jóvenes! ¿Qué tal? ¿Les gustó la feria?

—¿La... qué?— preguntó Steve. Por el momento se le había olvidado la feria. —Ah, sí, ¡la feria! Sí, nos gustó mucho. Era muy divertida, tío.

—Pero, tío— interrumpió Sue, —¿no fuiste a la feria también? Te vimos pero no nos reconociste.

Tío Tony, muy sorprendido, les contestó: —¡No! No estuve... este... trabajé en mi taller toda la noche... Ustedes no me vieron. Dispénsenme, jóvenes, tengo sueño. Voy a dormir. Buenas noches.

—Buenas noches, tío.

Los hermanos discutían los sucesos° de la noche cuando Ramón regresó a casa. Sue y Steve le contaron todo lo que había pasado. Ramón, un poco preocupado, les comentó: —Pues, antes yo no creía que estaba pasando algo extraño. Ahora, está claro que hay algo misterioso aquí...

Los jóvenes se quedaron hablando hasta muy noche.°

sucesos events

hasta muy noche far into the night

1. ¿Por qué está Sue enojada con Paco?
2. ¿Qué es el problema que Elena tiene con Steve?
3. ¿Cómo se celebra la feria de la Virgen de Zapopan?
4. ¿Qué es el castillo? ¿Qué pasa?
5. ¿A quién gritan los jóvenes?
6. ¿Adónde va tío Tony? ¿Con quién?
7. ¿Quién está en el coche rojo? ¿Adónde va el coche rojo?
8. ¿Qué ven los muchachos desde su coche?
9. ¿Qué da Marta Millón al hombre del coche rojo?
10. Según tío Tony, ¿dónde estuvo él toda la noche?

8. Peligro en la playa

Después de la feria de Zapopan, los jóvenes se fijaron aún más° en las actividades de tío Tony. Sue, Steve y Ramón escucharon sus llamadas por teléfono y, lo más posible, lo siguieron cuando salió de la casa. Un poco desilusionados,° no aprendieron nada después de una semana de investigaciones. Tío Tony no había recibido ninguna llamada misteriosa, pasó casi todo el día en su taller y casi nunca salió de la casa.

—¿Imaginamos todo el misterio?— les preguntó Ramón a sus amigos.

—No creo, pero me sorprende que no pasa nada. Tenemos que ser pacientes— dijo Steve, muy pensativo.
—Pues, es la hora de la cena. Vamos al comedor.

Durante la cena tío Tony recibió una llamada por teléfono, y regresó a la mesa sin decir una palabra.

—¿Quién te llamó?— le preguntó Sue, con audacia.°

Tío Tony respondió: —Este,... pues... era un amigo... nada más.

Cambiando de tema, les dijo con entusiasmo:—¡Oigan! ¿Qué les parece° hacer un viaje a Manzanillo? Por autobús, es un viaje de solamente seis horas. En Manzanillo podemos nadar, descansar y divertirnos mucho.

—¡Muy buena idea!—exclamó Sue. Ya habían visto a toda la ciudad de Guadalajara, así que la idea de conocer otro lugar les entusiasmó mucho.

—Sí, vamos— dijeron Steve y Ramón. —¿Cuándo salimos? ¿Mañana?

—¡Ay, no! Vamos en media hora. El autobús sale de la estación a medianoche.

se fijaron aún más paid even closer attention

desilusionados disappointed

con audacia boldly

¿Qué les parece? What do you think about?

31

—¡En media hora!— gritaron los jóvenes y corrieron para arreglar sus cosas.

—¡Es algo diferente empezar un viaje así!— comentó Steve a su hermana mientras subían a las alcobas.°   **alcobas** bedrooms

—Sí, como todo lo que pasa aquí— dijo Sue. —Vamos a ver...

Después del viaje en un autobús moderno, Steve, Sue, Ramón y tío Tony llegaron a Manzanillo. Eran las seis de la mañana. Por la luz de la madrugada vieron casas pintadas de colores vivos, una plaza grande y muchos árboles y flores tropicales y en el puerto, había barcos grandes de varios países.

—¡Qué bonito! ¡Qué romántico!— exclamó Sue, entusiasmada como siempre.

—Sí, es bonito, pero no vamos a quedarnos aquí— explicó tío Tony. —Vamos a tomar el camión que está en la esquina° para ir a la playa de Santiago. Y creo que les   **esquina** corner
sorprenderá este camión.

—¿Por qué?— preguntó Steve.

—Vas a ver— tío Tony se rió.

Los cuatro subieron a un camión viejísimo. Tuvieron que sentarse en asientos separados a causa de la cantidad de gente en el camión. Al lado de Steve fue sentado un indio viejo llevando un paquete que se movía. ¡Qué sorpresa tenía Steve cuando se dio cuenta de que hubo un cerdito° en el paquete! En el pasillo° había muchos sacos   **cerdito** small pig
llenos de maíz. Cada vez que el camión paraba, subieron   **pasillo** aisle
tantas personas que tío Tony y los jóvenes casi no pudieron bajar al llegar a la playa de Santiago.

—Pues, ¿les gustan los camiones de segunda clase?— les preguntó tío Tony riéndose mucho.[1]

—¡Son distintos!— dijo Steve, riéndose también.

Los cuatro entraron en un hotel moderno y bonito frente a la playa. Subieron rápidamente a sus cuartos, se pusieron los trajes de baño y se fueron a la playa para

---

[1] In Mexico there are two classes of buses. The first class buses are very modern but those of the second class are almost always filled with passengers carrying food and even live animals to market!

ver el amanecer.° Después, desayunaron en el patio del **amanecer** sunrise
hotel. Al terminar, tío Tony les dijo:—Voy a dormir un
rato. Hagan lo que quieran — tomar sol, nadar o descansar. Les pido una cosa. No vayan a "Olas Altas."

—Está bien.

—Bueno, tío, te vemos más tarde.

Cuando salió tío Tony, Ramón les dijo a los hermanos:
—Sospecho que tío Tony no va a dormir. Voy a ver lo
que hace. Vayan Uds. a la playa. Nos reunimos allá
más tarde.

Sue y Steve pasaron unas horas felices. Nadaron en la
piscina° y en el océano. Trataron de tomar sol acostados   **piscina** pool
en la arena pero no podían aguantar° el calor y tenían que   **aguantar** stand
saltar al agua cada cinco minutos. Se fueron al restaurante
cerca de la piscina para beber la leche del coco. Luego
decidieron caminar por las orillas° del mar a lo largo   **orillas** shores
de la bahía.°   **a lo largo de la bahía** along the bay

Anduvieron por media hora y, poco a poco, se metieron
más al agua porque hacía tanto calor. Vieron la bahía
bella con varias islas pequeñas. Notaron que el color del
mar siempre cambiaba. A veces era un azul claro, a veces
un verde oscuro.

De repente Sue le dijo a Steve: —No puedo pisar el
fondo.° Regresemos a la playa.   **pisar el fondo** touch bottom

—Está bien. Vamos— dijo Steve. Los dos empezaron
a nadar hacia la playa. Pero pronto se dieron cuenta de
que no estaban moviéndose. Cada vez que avanzaron unos
metros la corriente los tiraba° atrás. Trataron de nadar   **tiraba** threw
más rápido. Sue se asustó porque ya estaba cansada.

Les pareció que habían pasado horas en el agua. De
vez en cuando gritaban, pero no vino nadie. Por fin, can-
sadísimos y muy preocupados, vieron a Ramón en la playa. Le gritaron: —¡Ramón, Ramón! ¡Socorro!

Al oír los gritos de sus amigos, Ramón cogió° una   **cogió** grasped
cuerda° muy larga y gruesa.° Echándola al agua, gritó: **cuerda** rope
—Agarren° la cuerda.   **gruesa** thick **Agarren** Grasp

La cuerda se cayó a unos metros de Sue. —¡Ay, Steve!
No puedo alcanzar la cuerda— se quejó, llorando. —Y
estoy tan cansada.

—Nada un poco más, Sue. Haz el esfuerzo— le dijo
Steve que ya había cogido la cuerda.

33

Con mucha determinación, Sue nadó hacia Steve. —Coge mi mano, Sue. Yo te ayudo.

Por fin, ella agarró la mano de Steve y Ramón los haló° hasta la playa.

haló pulled

Exhaustos, los dos cayeron a la arena. Respiraron muy hondo sin poder hablar.

Por fin Sue dijo a Ramón: —¡Ay, mil gracias, Ramón! Nunca he tenido tanto miedo en toda mi vida. ¡Y tú nos salvaste!— De repente, ¡lo besó!

Ramón se sonrojó.° Les preguntó: —¿Por qué se fueron a Olas Altas después de lo que les advirtió° tío Tony esta mañana?

se sonrojó blushed
advirtió warned

—¿Este lugar es Olas Altas? ¡No sabíamos!

—¡Ay, amigos! ¡Gracias a Dios que no se ahogaron!° Pues, nos sentamos en la sombra aquí. Tengo mucho que contarles.

no se ahogaron you didn't drown

—Pues, seguí a tío Tony a su habitación. El hizo una

Ramón cogió una cuerda y la echó al agua.

llamada por teléfono pero no pude oír lo que decía. Después de un ratito, salió del cuarto con sus cosas para pintar. Lo seguí a un bungalow° bonito frente al mar. Iba a entrar en la casa, cuando una mujer abrió la puerta. La reconocía. ¡Era Marta Millón!

bungalow summer home

—Pues, tío Tony se quedó en la casa por una hora. Regresó al hotel inmediatamente después e hizo otra llamada por teléfono. Pero yo no podía oír todo lo que decía. Habló de una mina, de cuentas de ahorro y... ¡de un rubio!

—¡Un rubio! ¡Tiene que ser el mismo hombre que vimos en Guadalajara; el que vimos con Marta en la corrida, en la Plaza de Mariachis, y después de la feria— añadió Sue.

—Creo que sí. Por eso, yo quería mucho oír más de la conversación pero había tanto ruido en el hotel que no podía entenderlo.

—¡Ay, Steve! No puedo alcanzar la cuerda.

—¿Qué hacemos ahora?

—Pues, no sé. En vista de nuestra aventura, tengo hambre. Regresamos al hotel para la comida. Luego decidiremos— sugirió Steve.

Se encontraron con tío Tony en el comedor del hotel.

—¿Qué tal la siesta, tío?— le preguntó Sue para ver qué diría° su tío.

diría would say

—¿La siesta?— preguntó tío Tony, un poco confuso. Entonces se vio en su cara que no recordó lo que había dicho a los jóvenes por la mañana. —Ah, sí, ¡la siesta! Bien, bien, gracias.

Los cuatro comieron y pasaron toda la tarde y la noche juntos. Tío Tony no parecía muy preocupado aunque, de vez en cuando, miraba fijamente al océano y no les oía a los muchachos. Todos descansaron, nadaron un poco más y notaron la fantástica puesta del sol° sobre el océano.

puesta del sol sunset

La mañana siguiente también se divirtieron en la playa. Por la tarde se fueron al puerto de Manzanillo para comprar los boletos de regreso. Cuando llegaron a la estación tío Tony le dijo a la mujer en la caja:°—Señorita, cuatro boletos para Guadalajara, por favor.

caja ticket seller's window

—Sí, cómo no— contestó. —Por favor, me permiten ver su identificación o tarjetas de turista.

Sue exclamó:—Yo no tengo mi tarjeta de turista. La dejé en casa.

—Pues, señorita, Ud. tiene que hablar con el jefe de inmigración.

—¡El jefe de inmigración!— exclamó Sue. —¿Yo?

—Sí. ¿Ve Ud. aquel edificio blanco? Suba al cuarto piso y hable con el Sr. Mendoza.

Muy seria, Sue explicó el caso al jefe de inmigración. Estaba tan asustada que el hombre empezó a reir a carcajadas° de ella.

reír a carcajadas to laugh uproariously
chistoso amusing

—¡Qué chistoso!° No se preocupe tanto, señorita— dijo el jefe. —Según la ley no se permite a ninguna persona salir de Manzanillo en autobús sin pasaporte u otra identificación. Hay marineros de otros países que, de vez en cuando, tratan de entrar al país ilegalmente. Pero, ¡Ud. no es ningún marinero!— Se rió otra vez. —Tome este papel y no se preocupe más. Pero— añadió, —de hoy en ade-

lante,° siempre lleve su tarjeta de turista consigo, ¿eh? **de hoy en adelante**
—Sí, señor. ¡Y muchas gracias! from now on

Todos se burlaron de Sue durante el viaje de regreso.

1. ¿Qué les pregunta tío Tony a los muchachos durante la cena?
2. ¿Cómo van a viajar a Manzanillo? ¿Cuándo?
3. ¿Por qué les sorprende el camión de segunda clase a los jóvenes?
4. Después de desayunarse, ¿qué decide hacer Ramón? ¿Sue y Steve?
5. ¿Qué pasa a Sue y a Steve mientras están nadando?
6. ¿Quién aparece en la playa? ¿Qué hace él para ayudar a sus amigos?
7. ¿Qué cuenta Ramón de tío Tony?
8. ¿Qué quiere ver la mujer en la caja de la estación en Manzanillo?
9. ¿Con quién tiene que hablar Sue? ¿Por qué?
10. ¿Por qué no se permite a ninguna persona salir de Manzanillo sin identificación?

9.   Minas y momias

Una noche, Paco les preguntó a sus amigos: —¿Qué les parece° hacer un viaje a Guanajuato? Ninguno de Uds. ha visto aquella ciudad pintoresca.

¿Qué les parece What do you think about?

—¡Muy buena idea!— respondió Ramón. —Pero, ¿cómo nos vamos? Tu coche ya no anda bien.

—Podemos ir en autobús— respondió Paco. —Vamos a pedirles permiso a tío Tony y a los padres de Elena.

Cuando llegaron a la casa de tío Tony, tocaron a la puerta del taller. Nadie contestó. Trataron de abrir la puerta pero estaba cerrada con llave.°

cerrada con llave locked

—¿Qué secretos tendrá° tío Tony? Nunca cierra el taller con llave.

tendrá could have

—Pues— dijo Sue, —mientras esperamos, dinos Paco, ¿qué hay en Guanajuato? ¿Dónde queda?

Paco, imitando a un profesor viejísimo sin dientes, les explicó: —Guanajuato es una ciudad vieja, situada en un valle al noreste de Guadalajara. ¡Presta atención, joven!— le dio una palmada° a Ramón. —Es una de las ciudades más españolas de México. ¡Las calles son tan estrechas que los perros tienen que menear la cola arriba y abajo!°

palmada pat on the back

menear... abajo to wag their tails up and down

—¡No te creo, profesor!— Sue se rió.

—¡Ya verás, jovencita!— siguió Paco. —Hay antiguas minas de plata, un mercado, un teatro al aire libre, estatuas y un panteón.°

panteón graveyard

—¡Un panteón! ¿Qué tiene de interés un panteón?— preguntó Steve con sarcasmo.

—Pues, ¡ya verán Uds.!— dijo Paco. De repente, se puso serio. —Miren, ¡aquí viene tío Tony!

Tío Tony entró en la casa con cara de preocupación.

—Hola. ¿Cómo les va?— dijo tío Tony por fin. —A propósito, ¿les molesta mucho si les dejo aquí solos por unos días? Es que tengo que viajar a Guanajuato para... para hacer unos negocios.

—¡Ay, tío!— exclamó Sue. —¡Estábamos esperándote para pedirte permiso para ir a Guanajuato! ¿No podemos ir contigo en tu coche?

—Pues— dijo tío, sorprendido y confuso, —pues... yo creo que sí. Pero, acuérdense, yo voy a estar muy ocupado allá. No podré visitar la ciudad con Uds. Pero, sí, pueden acompañarme. Vamos temprano.

—¡Muy bien, tío!— exclamaron todos.

Cuando tío Tony había salido, Ramón comentó: —Me pregunto° qué negocios tenga° tío. Creo que no nos dijo todo. ¡Ya veremos!

Los viajeros llegaron a Guanajuato a mediodía. Tío estaba callado° durante el viaje y, como les había prometido, desapareció después de llegar al hotel.

Los jóvenes, después de registrarse, se reunieron en la plaza frente al hotel. —Miren arriba— dijo Paco. —¿Ven aquella estatua enorme? Es Pípila. Pípila es el apodo° de un héroe joven de la Guerra de Independencia. ¿Quieren subir a la estatua?

—¡Claro!

Los amigos empezaron a caminar por la senda° que subía la montaña. Llegaron a la estatua, un poco cansados, en media hora.

—¡Ay! ¡Qué vista bonita!— exclamó Sue. —Vale la pena° subir hasta aquí.

—Déjenme mostrarles la ciudad— dijo Paco. —Abajo están nuestro hotel y la plaza. A la izquierda está la Universidad. ¿Ven aquel edificio grande? Es el alhóndiga de granaditas.° Es museo ahora pero era muy importante en la Guerra de Independencia.[1]

Me pregunto I wonder
tenga could have

callado quiet

apodo nickname

senda path

Vale la pena It's worth the effort

alhóndiga de granaditas granary

---

[1]When the War of Independence began in 1810, the Spaniards hid in this building while the Mexicans tried to destroy it. They could not succeed until Pípila, using a very large rock to protect himself from the Spanish arms, ran to the *alhóndiga* (granary) with a lighted stick and set fire to the granary. The Spanish had to flee the burning building. Many died, including Pípila, but it was one of the first victories for the Mexicans.

—¿Qué es el edificio cerca de la alhóndiga?— preguntó Steve. —Se parece a una iglesia enorme.

—No, no es iglesia— contestó Paco. —Es el mercado.

—¡Vamos!— exclamó Sue. Su cara reflejaba más entusiasmo ahora que en todo el día. —¿Qué cosas se venden en Guanajuato?

—¡Ay, Sue! Siempre piensas en las compras— dijo Steve con ira.

Descubrieron que la bajada era más difícil que la subida. Cuando llegaron a una curva, Elena exclamó:—Ay, ¡me caigo! ¡Ay!

Steve corrió a su lado y la ayudó a pararse° otra vez. Parecía que no se lastimó° pero, cuando trató de caminar, exclamó: —Ay, ¡me duele el tobillo!° ¡Creo que me torcí° el tobillo!— Se veía el dolor en la cara.

pararse to stand up
se lastimó got hurt
tobillo ankle
me torcí I sprained

—Ten cuidado, Elena. Toma mi brazo y bajamos juntos— dijo Steve cariñosamente.

Cuando llegaron a la plaza, Elena y Steve decidieron descansar y hablar un rato mientras los otros fueron al mercado. Interrumpiendo su conversación, Elena exclamó: —Mira, ¡es tío Tony!

Steve también vio a tío Tony salir de una oficina con un hombre alto.

—No tiene sus cosas de pintar— comentó Steve. —Yo no creía que él venía aquí para pintar. Tío está metido en° algo peligroso, Elena. Estoy convencido.

está metido en is involved in

—Creo que sí. Tío era un hombre completamente diferente hace dos meses. No tenía tantos secretos. No puedo imaginarme que le ha pasado— comentó Elena.

—Pues— dijo Steve. —Me extrañaba° mucho que nos invitó aquí para pasar el verano con él, pues casi nunca ha salido con nosotros.

Me extrañaba It seemed strange to me

En este momento, el hombre se despidió de tío Tony y regresó a la oficina. Tío Tony entró al hotel.

Steve corrió a ver el nombre de la oficina. Era el departamento nacional de minas. Tan pronto que regresaba a Elena, llegó el hombre rubio que ellos habían visto en Guadalajara. Andaba muy de prisa y entró a la oficina en una manera muy impaciente. También habló con el hombre alto y, al salir de la oficina, casi corrió al hotel donde estaban alojados° los muchachos y tío Tony.

alojados staying

En este momento Elena y Steve vieron el regreso de Sue y ¡dos muchachos tan cargados de bolsos que casi no podían averiguar° que eran Ramón y Paco!

averiguar   to find out

—¡Otra vez!— se quejó Steve, riéndose. —Sue, ¿compraste todo Guanajuato?

—Pero, Steve, hay tantas cosas interesantes aquí. ¡Mira!

Después de ver las compras, Steve y Elena les contaron lo que habían visto.

—Creo que tío Tony se ha metido en un asunto peligroso. Todo esto me molesta— dijo Ramón, pensativo. —¿Qué es la relación entre tío Tony, el hombre rubio, Marta Millón y el departamento de minas?

—Mmmm. No tiene sentido°— murmuró Elena.

No tiene sentido   It doesn't make sense

—Bueno, yo voy a hacerle varias preguntas a tío Tony esta noche. Quiero averiguar lo que le está pasando— Sue declaró.

—¿Está mejor el tobillo, Elena?— preguntó Steve, ayudándola a pararse.

—Mucho mejor.

—Entonces— dijo Paco, —¡vamos al panteón!

Llegaron en taxi al panteón. Muchos monumentos blancos estaban situados muy cerca uno al otro.

—Pues, ya vimos el panteón— se quejó Sue. —¿Qué tiene de interés?

—No han visto lo interesante todavía. Vamos allí y bajamos— dijo Paco.

Se fueron a una abertura° en la tierra y bajaron por una escalera serpentina° a un pequeño cuarto oscuro. Cuando se acostumbraban a la oscuridad, vieron más de cincuenta momias.°

abertura   opening

escalera serpentina   winding staircase

momias   mummies

—¡Ay! ¡Qué feas son!— gritó Sue, muy asustada, y saltó atrás.

Paco les explicó:—En Guanajuato hay momias porque la tierra contiene algunos minerales que momifican naturalmente a los cuerpos.

—¡Hombre! ¡Es estupendo!— exclamó Steve, su cara animada. —Miren ésa. Parece que lo enterraron vivo° porque las manos están rascando° al suelo y la boca está abierta como si gritara.°

lo enterraron vivo   they buried him alive

rascando   digging

como si gritara   as though he were shouting

—Sí, ¿y ves aquélla?— añadió Ramón. —Es una

madre que se murió al dar luz° a un nene.° Enterraron el nene con ella.

Muy disgustada, Sue se fue a esperarlos cerca de la escalera. Estaba asustada. Quería subir, pero no quería subir sola.

De repente, dio un paso atrás y pisó° los pies de alguien. Oyó una voz sobrenatural decir: —No me pises. ¡No debes molestar a los muertos!

Sue dio un grito de espanto y no se calmó aunque Paco le explicó que lo había dicho de broma. Sue se enojó porque no le pareció nada chistoso.° Subió la escalera con los otros, y Paco trató de convencerla de que estaba bromeando.

—Si te compro un dulce, ¿te animas?— preguntó Paco.

Paco se fue a un puesto y regresó con un dulce envuelto° en celofán. Sue lo abrió —era un dulce de caramelo duro en forma de una momia. Tenía uvas pasas° para ojos.

—¡Otra momia!— gritó Sue, tirándole° el dulce. —¡Qué cruel eres, Paco!

—Pero, Sue— explicó Paco, —es una charramusca.° Es el dulce típico de Guanajuato.

—¡Qué bárbaro!— exclamó Sue. —Déjame en paz.°

—Ay, ¡las mujeres! ¡No se puede ganar con ellas!— dijo Paco entre dientes.°

dar luz giving birth
nene baby

pisó stepped on

nada chistoso at all funny

envuelto wrapped
uvas pasas raisins

tirándole throwing him

charramusca twisted sweet

Déjame en paz. Leave me alone.

entre dientes grumbling

1. ¿Adónde quieren ir los jóvenes? ¿Qué hay allí?
2. ¿Adónde tiene que ir tío Tony?
3. ¿Por qué hay una estatua de Pípila en Guanajuato?
4. ¿Qué le pasa a Elena al bajar de la estatua?
5. ¿Dónde lo ven Elena y Steve a tío Tony?
6. ¿Quién entra en la misma oficina?
7. ¿Qué es el panteón? ¿Cómo se entra al panteón?
8. ¿Qué ven dentro del panteón?
9. ¿Por qué hay momias en Guanajuato?
10. ¿Qué le da Paco a Sue? ¿Le gusta el regalo?

10. Un escape milagroso

Después de ver las momias, los cinco amigos regresaron al hotel. Todavía enojada con Paco, Sue caminaba rápidamente. Paco corrió, el pelo largo volando, y trató de hablarle. Sue no le contestó. Los otros, sonriendo, observaron la " batalla."

—Creo que Paco ya no le interesa tanto a Sue— dijo Elena. —Dice que es cruel y demasiado orgulloso. El que le gusta ahora eres tú, Ramón.

Pensativo, Ramón no dijo nada.

Llegaron al hotel y fueron al comedor donde esperaban encontrarse con tío Tony. Pero no estuvo. Decidieron comer sin él porque querían llegar a buena hora para ver los "Entremeses Cervantinos."[1]

—¿Dónde estará° tío Tony?— preguntó Ramón.　　　estará　could be

—No sé— comentó Paco. —Steve, ¿adónde fue tío Tony cuando salió del ministro de minas?

—Regresó al hotel y no lo vi salir.

—Pues, no sé qué pensar— dijo Ramón.

—Después de terminar la comida, vamos a preguntar en la recepción del hotel. Quizá lo vieron salir.

Hablaron con el jefe de la recepción pero no aprendieron mucho. El hombre les dijo que tío Tony pasó media hora en su habitación y, después, llevando pantalones "blue jeans" y camisa vieja, salió en taxi.

—No se preocupen, jóvenes— dijo el jefe. —Probable-

---

[1] The *"Entremeses Cervantinos"* are short scenes written by Miguel de Cervantes Saavedra and other authors of his epoch.　In Guanajuato, during the spring and summer, these scenes are presented outside in a medieval patio.　The actors are students and teachers from the University of Guanajuato.

mente fue a las montañas para pintar y se le pasó la hora.° Deben salir ahora para llegar al teatro a tiempo.

Los muchachos caminaron rápidamente a la pequeña plaza de San Roque para ver los "Entremeses."

Cuando llegaron, el sol ya se había puesto y un hombre vestido al estilo medieval encendió° unas velas alrededor de la plaza.

Por más de una hora el grupo gozaron de° viñetas° medievales: poesía, unos dramas serios y unas viñetas muy cómicas.

—¡Qué romántico es este lugar!— exclamó Sue, tocando el brazo de Ramón. —Me encanta.

—A mí, también— añadió Elena. —Es muy bonito ver todo esto al aire libre y sobre todo con esta brisa° sabrosa.°

En este momento la acción empezó de nuevo. De repente, mucha agua fría cayó sobre Paco, mojándolo° completamente. Resultó que el actor que iba a tirar el agua desde un balcón a otro actor en la plaza, se equivocó en el tiro.°

Los amigos de Paco y la gente alrededor de ellos rieron a carcajadas, pero a Paco no le pareció cómico de ninguna manera.

—¡Ay, mi traje! ¡Qué mojado estoy! ¡No se rían de mí, no veo nada de chiste!— exclamó Paco.

Sue se rió. —Pero, Paco, tienes que esperar° sorpresas en un teatro de este tipo.

—Pues, no me gusta. Jamás regreso° aquí.

—Ay, Paco— dijo Sue, ahora muy en serio, —cuando tú haces las bromas, como tu broma de las momias, está bien. Pero cuando algo te pasa a ti, no lo aguantas.°

—¡Bah!— exclamó Paco, su cara roja de ira. Afortunadamente para todos, el drama volvió a empezar.

Después de los "Entremeses," los jóvenes decidieron dar una vuelta° por las calles estrechas de la ciudad. Llegaron al "Callejón° del Beso" — una escalera tan angosta que una persona puede tocar las casas de ambos lados a la vez.

—Se dice que una vez vivían dos jóvenes en las casas de este callejón— explicó Elena. —Estaban enamorados pero no podían casarse. Cuando nadie los miraba, la muchacha subía a un balcón y el muchacho al balcón que estaba enfrente. Así se besaban.

---

se le pasó la hora lost track of time

encendió lit

gozaron de enjoyed
viñetas vignettes

brisa breeze
sabrosa delightful

mojándolo soaking him

se equivocó en el tiro missed his aim

esperar to expect

Jamás regreso I'm never coming back

no lo aguantas you can't take it

dar una vuelta to take a walk
Callejón narrow street

—Ay, ¡qué romántico!— murmuró Sue. —¿Se casaron por fin?

—No— explicó Elena. —No sé los detalles pero los dos murieron en una manera trágica.

—Ay, ¡qué romántico!— dijo Sue.

—Ay, ¡Dios mío! ¿Me haces el gran favor de no decir "Ay, ¡qué romántico!" más? ¡No puedo aguantarlo— se quejó Steve.

—Pero sí es romántico— dijo Sue mirando a Ramón.

—Oye, Ramón, ¿no quieres subir a este balcón mientras yo subo al otro?

—¿Por qué?— preguntó Ramón muy serio.

—¡Tonto!— Steve se rió. —Ella quiere besarte como lo hacían los amantes.° **amantes** lovers

Ramón se enrojeció,° dio unos pasos atrás y, después de unos momentos penosos,° les dijo:—Entiendo que hay otras calles notables en Guanajuato — las subterráneas. Vamos a verlas, ¿no?

se enrojeció blushed
unos momentos penosos a few awkward moments

—¿Subterráneas? ¿Cómo es posible?

Paco explicó: —Es que en años pasados había un río subterráneo que se secó.° Construyeron las calles en el lecho.°

se secó went dry
lecho riverbed

Los jóvenes paseaban más cuando oyeron música irreal en la distancia.

—Suena como° música medieval. Oiga, pandaretas,° mandolinas y guitarras. ¿Qué puede ser?— preguntó Steve.

Suena como It sounds like
pandaretas tambourines

Pronto los amigos se encontraron con un grupo de ocho o nueve jóvenes vestidos de capas negras, calzones cortos° y boinas.° En algunas de las capas estaban colgadas° algunas medallas y cintas° de muchos colores. Los jóvenes tocaron sus instrumentos y cantaron canciones folklóricas y románticas, mexicanas y españolas.

calzones cortos knee breeches
boinas berets
colgadas hung
cintas ribbons

—¡Es la estudiantina[1]— exclamó Elena, sonriendo.

---

[1] The *"estudiantina"* is a group of university students. They earn money singing in the streets and in restaurants. Sometimes the students participate in contests with those from another university. The ribbons and medals which they wear around their neck are those which they have won in these contests. The *"estudiantina"* from the University of Guanajuato is one of the best in Mexico.

—Ay, ¡qué román... ¡Caramba! Se me olvidó de que no iba a decir esto. Perdón, Steve— dijo Sue.

Todos se rieron y escucharon la música de la estudiantina por un rato. Luego decidieron regresar al hotel porque ya era tarde y porque querían saber algo de tío Tony.

Cuando llegaron al hotel, les llamó el jefe de la recepción. —Siento mucho decirles esto, pero se les llamó del hospital. Su tío sufrió un accidente grave. Vayan Uds. allí. No me dijo más.

Les mostró en qué dirección quedaba el hospital. Sin decir ni pío,° los cinco muchachos corrieron allá. Cuando llegaron, una enfermera° les contó que tío Tony se había quebrado la pierna. Además, tenía heridas y contusiones, no muy graves por todo el cuerpo.

Sin... pío Without a word

enfermera nurse

Fueron directamente al cuarto donde tío Tony estaba descansando. La pierna derecha estaba envuelta en yeso° y su cuerpo delgado casi estaba perdido entre las sába-

envuelta en yeso in a plaster cast

—Pues, desde el mayo pasado he estado metido en un lío que va a resolverse dentro de poco.

nas° y los vendajes° que cubrían sus heridas. Les sonrió débilmente cuando lo saludaron.

sábanas sheets
vendajes bandages

—No se preocupen. Voy a estar bien— les dijo en voz baja y débil.

—Tío. ¿qué te pasó?

—Pues— empezó tío Tony. —creo que debo empezar desde el principio. Uds. probablemente creen que me he portado° en una manera muy extraña todo el verano, ¿verdad?

me he portado I have
behaved

—Pues, sí. Nos preguntamos por qué nos invitaste a pasar el verano contigo, ya que has estado tan ocupado desde nuestra llegada.

—Tienes razón. Pues, desde el mayo pasado he estado metido en un lío° que va a resolverse dentro de poco. Siento que no puedo decirles mucho todavía, sobre todo ahora que tengo que pedir su ayuda.

metido en un lío involved
in a series of difficulties

—Haremos todo lo posible— contestaron en coro.°

en coro at the same time

—Me agaché para ver mejor el túnel cuando alguien me empujó.

47

—Gracias— continuó tío Tony. —Vine a Guanajuato para averiguar algo acerca de° una mina de plata. Sospecho que esta mina no tiene ningún valor — que ya se sacó toda la plata. Ayer fui al ministro de minas y...

acerca de concerning

—Te vimos salir de la oficina— interrumpió Steve. —Elena y yo estábamos descansando en la plaza frente al ministro de minas.

Tío Tony se puso un poco agitado. —¿Ah, sí? Pues, allá aprendí que aquella mina fue una de las más ricas en el siglo diecinueve, pero que ya está completamente agotada.° De todos modos, la gente en el ministro sugirió que yo fuera a verla. Se están descubriendo que algunas de esas minas no son agotadas, que todavía unas tienen mucha plata.

agotada used up

—Pues, fui a la mina. Está cerquita° de la iglesia de Valenciana en las afueras de Guanajuato. No vi ninguna indicación de que había plata en la mina. Me agaché° para ver mejor el túnel cuando, de repente, alguien me empujó.° Empecé a caer dando vueltas° por el túnel. Sin embargo vi al hombre que me atacó.

cerquita very near

Me agaché I bent down

empujó pushed
caer dando vueltas to fall head over heels

—Me caí al fondo° del túnel— continúa tío Tony. —Me dolía todo el cuerpo, especialmente esta pierna, pero sabía que para salvarme tenía que subir pronto. Avancé rastreando° y llegué a la boca del túnel completamente agotado.° Aparentemente me desmayé° porque no me acuerdo de nada más hasta que me desperté aquí. Me han dicho que unos turistas caminando por las montañas me vieron y me llevaron al hospital.

fondo bottom

Avancé rastreando I crawled
agotado exhausted
me desmayé I fainted

—Ay, tío. ¿Quién te empujó? ¿Y por qué?— preguntó Steve.

—¿Qué podemos hacer?— preguntaron los otros.

Tío Tony, ahora muy cansado, les dijo en voz baja y débil: —El hombre es alto, rubio y muy delgado. Tiene los ojos castaños° y una barba rubia. Es muy guapo. Se llama Roberto Robo.— Tío Tony dio un gran suspiro.

castaños chestnut colored

—Ahora escuchen bien. El Sr. Robo está alojado° en nuestro hotel. El cree que estoy muerto. Por eso, seguramente va a salir de Guanajuato mañana. Regresen ahora al hotel y pídanle a la recepción que les llame° cuando Roberto Robo sale de su cuarto. Tomen mi coche y si-

alojado staying

pídanle... llame ask the man at the desk to call you

ganlo. Saquen fotos de lo que hace y usen mi grabadora°   **grabadora**   tape recorder
chiquita para grabar sus conversaciones.

Tío Tony continuó: —Siento que no puedo decirles más
ahora. Estoy demasiado cansado, les contaré todo más
tarde. Ahora váyanse al hotel y descansen. Mañana estarán muy ocupados.

—Está bien, tío. Descansa tú también. Gracias a Dios
que estás vivo. Nos vemos pronto. Adiós.

Al salir del hospital Sue preguntó: —¿Creen Uds. que
el rubio trató de matar a tío Tony porque está celoso?
¡Qué romántico!

Ramón exclamó: —Estoy seguro de que es mucho más
que celos. Yo sospechaba que tío Tony estaba metido en
algo peligroso.

Los amigos caminaron muy despacio al hotel. No hablaron más porque todos estaban pensando en los sucesos
del día... y en la aventura que quizá les esperara.°   **que quizá les esperara**
that perhaps awaited
them

1. Después de regresar al hotel, ¿qué deciden hacer los muchachos? ¿Por qué?
2. ¿Qué les dice el jefe de la recepción del hotel de tío Tony?
3. ¿Qué son los "Entremeses Cervantinos"?
4. ¿Qué cae sobre Paco durante el drama?
5. Explique la leyenda del "Callejón del Beso."
6. ¿Cómo se originaron las calles subterráneas?
7. ¿Qué es una estudiantina?
8. Al regresar al hotel, ¿qué les dice el jefe de la recepción?
9. ¿Cómo está tío Tony? ¿Qué le pasó? ¿Quién lo empujó?
10. ¿Qué quiere tío Tony que hagan los jóvenes?

11. ¿Ladrón?

Cuando llegaron al hotel trataron de dormir. Pero nadie podía. Los cinco pasaron la noche pensando en lo que había sucedido.

Muy temprano les llamó el gerente° de la recepción. Les dijo que Roberto Robo había salido de su cuarto y que en ese momento estaba desayunándose en el comedor.

Los jóvenes arreglaron sus cosas rápidamente y fueron a esperar a Roberto Robo. El gerente les dijo que Roberto Robo le había mencionado que iba a ir a Pátzcuaro.

Después de desayunarse, el Sr. Robo subió al auto y salió en camino a° Pátzcuaro. Los muchachos lo siguieron a una distancia discreta. A pesar de la emoción del día, Sue y Steve se fijaron en el paisaje bonito: la tierra verde y fértil, las casas con techos° rojos. Hasta vieron a algunos niños pobres caminando delante de un burro cargado de madera. Mientras miraban el paisaje, platicaban mucho.

Rascando° la cabeza, Steve dijo: —Toda la noche me preguntaba, ¿por qué le interesa tanto la mina a tío Tony? Es artista, ya no es hombre de negocios. Vino a México porque no quería más de la vida apresurada° que llevaba hace muchos años en Nueva York.

—Yo no creo que a él le interesa la mina— dijo Sue. —Sospecho que la está investigando por otra persona... por Marta Millón.

—Es posible. Tiene mucho dinero— comentó Ramón. —Pero, no entiendo por qué tenemos que seguir a Roberto Robo hasta Pátzcuaro para sacar fotos.

—No sé— respondió Elena. —¿Qué hay en Pátzcuaro

gerente manager

en camino a bound for

techos roofs

Rascando Scratching

apresurada rushed

para llamar la atención de un hombre como Roberto Robo? Paco, tú conoces a Pátzcuaro, ¿no?

—Sí, estuve allá el año pasado. Es un pueblo en la tierra de los indios tarascos. Lo más interesante es el bonito lago de Pátzcuaro y la isla de Janitzio. Pero, no puedo imaginarme por qué le es importante al Sr. Robo. Está lejos de la mina.

—¡Ay! ¡Miren!— exclamó Sue. —Aquel coche es de los Estados Unidos. Miren la placa.° **placa** licence plate

—Tienes razón— dijo Steve, —es de Michigan. Dice "Mich." en la placa. ¡Hizo un viaje bastante largo!

Los tres mexicanos rieron mucho y dijeron a Sue y a Steve:—El coche no es de Michigan. ¡Las placas son de Michoacán! ¡Estamos en el estado de Michoacán!

—Oh— Sue y Steve rieron también. —Miren, el coche del rubio está parando allá cerca de un hotel.

Ellos también, se fueron al hotel, bajaron del coche y esperaron hasta que Roberto Robo había salido de la recepción. Era un hotel al estilo colonial. Tenía solamente un piso y todos los cuartos abrían a un patio lleno de flores y árboles.

Los jóvenes también registraron en el hotel y, después de ir a sus cuartos, se sentaron en un patio para esperar la salida del rubio. Decidieron que no sería buena idea que todos siguieran al rubio. Steve y Paco decidieron seguirlo, y los otros amigos salieron para conocer a Pátzcuaro.

Elena, Sue y Ramón dieron una vuelta al pueblo. Vieron el mercado, la iglesia, varias plazas y muchos restaurantes.

—Lo más interesante es el lago— dijo Ramón. —Vamos al muelle° para tomar una lancha° a Janitzio. **muelle** pier
lancha boat

Por veinte minutos, ellos regatearon con el dueño de una de las lanchas. Por fin, cuando se quedaron satisfechos con el precio, la subieron. Cansados por haber viajado mucho y haber descansado poco, casi se dormían en el corto viaje a la isla. Sólo Sue estaba suficientemente despierta para ver las redes de mariposa° y las canoas primitivas de los indios y la isla de Janitzio en la distancia. **redes de mariposa** butterfly nets

—¡Qué vista bonita! ¿De quién es la estatua enorme en la isla?— preguntó Sue.

—Es de Morelos— dijo el guía. —Morelos era un héroe

de la Guerra de Independencia. Vivía aquí en Michoacán. Se puede subir hasta la cabeza del monumento.

Llegaron a la isla y empezaron a subir las estrechas calles de barro.° Les interesó ver a unos niñitos jugando con los muchos cerditos en la calle. **barro** mud

—¿Por qué hay tantos cerditos aquí?— preguntó Sue a un vendedor de refrescos cuando se pararon para tomar una bebida.

—Es que nos gustan cerditos como animales domésticos— contestó el vendedor. —Son chistosos. Además, si tenemos poco de comer, siempre cuando crezca° el cerdito, podemos comerlo. **cuando crezca** when it grows up

—¡Ay! ¡Qué bárbaro!— exclamó Sue mientras salieron del restaurante.

Ramón sonrió. —Pues, Sue, aquí los animales son animales. En los Estados Unidos Uds., a veces, tratan a los animales mejor que a ninguna persona.

Discutieron los animales domésticos, hasta llegar a la estatua gigantesca de Morelos. Sue quiso subir la escalera dentro de la estatua gris. Los otros estaban demasiado cansados y la esperaron abajo.

—¡Dios mío!— exclamó Sue cuando regresó, pálida, y respirando muy hondo. —¡La escalera es como un caracol!° ¡Es difícil subir y hay poco aire adentro! **caracol** snail

—Un día aprenderás que puedes dejar algunas cosas para otro día— comentó Ramón. —Vamos.

Cuando regresaron al hotel, vieron a Paco y a Steve sentados en el patio. Steve estaba dormido y Paco les miraba por ojos medio cerrados.

—¡Ay, qué perezosos son! ¿Qué pasó? ¿Se quedaron aquí dormidos todo el tiempo?

—Cálmate, Sue. Esta mañana pensamos que nada iba a pasar— empezó Steve. —Esperamos aquí hasta la una y media. Por fin, salió Roberto Robo y lo seguimos a una hacienda en las afueras de Pátzcuaro. Cuando el Sr. Robo tocó a la puerta de la hacienda grande, salió una señora muy distinguida. Parecía que tenía unos cincuenta años, era baja, delgada y morena. Afortunadamente para nosotros, los dos no se quedaron en la casa. Se fueron al patio. Nos escondimos en los arbustos° donde pudimos verlos y grabar su conversación. **arbustos** shrubs

—Mientras comían, el rubio y la mujer hablaron en una manera muy cariñosa. Hablaron de los planes para su boda y de un viaje a Europa. Esto es lo que dijo mientras tomaban un cafecito.— Steve prendió° la grabadora: —A propósito, querida,° averigüé mucho acerca de la mina de plata de la cual estábamos hablando el otro día. Cuando estuve de negocios en Guanajuato, fui al ministro de minas y también a la mina.

—¡Seguro que fue a la mina! ¡Allá trató de matar a tío Tony!— interrumpió Elena.

Continuó la grabación:° —Luz de mi vida. Angel de mi alma, sólo estoy pensando en ti cuando digo que debes invertir° tu dinero en la mina. Es una oportunidad que nos viene solamente una vez en la vida. ¡Y, dentro de poco, seremos ricos!

—¡Son mentiras!— exclamó Ramón. —Está robando a la mujer, ¿verdad?

—Me parece que sí. La mujer escribió un cheque de 250.000 pesos— siguió Steve. —¡Fíjense! ¡Cómo unos 20.000 dólares!

—¡Es cierto que es ladrón!— exclamó Elena. —Entonces, ¿qué pasó?

—Pues, pasaron mucho tiempo hablándose en el patio, pero nunca regresaron al tema de la mina. Hablaron como amantes y me aburrió mucho— dijo Steve. —Más tarde el Sr. Robo salió de la casa. Le prometió a la mujer regresar pronto.

Paco continuó: —Seguimos al Sr. Robo al hotel donde lo oímos hacer una llamada por teléfono a Guadalajara. No pudimos entenderlo todo, pero habló del dinero que recibió de la mujer.

—¡Yo creo que está robando a muchas mujeres!— exclamó Sue.

—Es posible— dijo Paco, —pero todavía no está claro por qué tío Tony está metido en todo esto.

—Pues, tío conoce a Marta Millón. Quizá el Sr. Robo la está robando también.

—Probablemente. A lo mejor lo sabremos pronto— dijo Ramón. —Tengo hambre. Vamos al comedor. De allí podemos ver si sale el Sr. Robo.

Los muchachos pasaron la noche en el comedor y en

prendió turned on

querida dear

grabación recording

invertir invest

el patio. No apareció el Sr. Robo. Se quedaron hasta
tarde hablando del misterio y de las otras experiencias
del verano.

1. ¿Adónde lo siguen los muchachos al señor Robo?
2. ¿Qué deciden hacer Elena. Sue y Ramón? ¿Steve y Paco?
3. ¿Qué ven en la isla?
4. ¿Quién es Morelos?
5. ¿Adónde siguen Steve y Paco al señor Robo?
6. ¿Qué hacen los dos en los arbustos?
7. ¿De qué hablan Roberto Robo y la señora?
8. ¿Qué escribe la mujer? ¿A quién lo da? ¿Por qué?
9. ¿Qué piensan los jóvenes que hace el señor Robo?
10. Después de cenar. ¿qué hace el grupo de muchachos?

12.   Un choque justo

—¿Cuánto tiempo nos toma para llegar a Morelia?—
preguntó Elena. Por la mañana oyeron al rubio pedir las
direcciones a Morelia.

—Llegaremos en una hora— respondió Paco, bostezan-
do.° Casi no había dormido la noche anterior.   **bostezando**   yawning

Los jóvenes siguieron el auto del Sr. Robo por las
colinas° verdes y fértiles. Pasaron pueblitos y muchas   **colinas**   hills
casas con techos rojos. Por fin, llegaron al pueblo pequeño
de Tzintzuntzán.

El Sr. Robo paró su coche frente a un viejo restaurante
pequeño cerca de la plaza central del pueblo y lo entró.

—¿Por qué se para aquí tan cerca de Morelia?— preguntó Elena.

—No sé, pero vamos a estacionar el coche también—
dijo Steve. —Ven, Elena. Pon la grabadora en tu bolsa
y vamos al restaurante. Quédense Uds. aquí cerca.

Elena y Steve entraron al restaurante, e inmediatamente
Sue notó un mercado de alfarería en la plaza y miró los
jarros y otros objetos con gran entusiasmo.

—No te vayas lejos— le dijo Paco. —Quédate cerca
para poder subir rápidamente al coche.

—Está bien. Sólo voy a comprar de los vendedores
cerca de la calle— Sue se rió.

—Ay, Dios mío. ¡Esta muchacha con sus compras
continuas!— Ramón se sentó en una banca.

Dentro de diez minutos el rubio salió del restaurante
seguido por Steve y Elena. Rápidamente Sue terminó sus
compras y todos empezaron el viaje de nuevo.

—¿Qué hizo el Sr. Robo en el restaurante?— les preguntaron a Steve y a Elena.

—Nada de interés— dijo Elena. —Tomó un café, e hizo una llamada por teléfono. No pudimos oír nada de la conversación.

—Pues, ya veremos°— comentó Sue antes de exclamar: —¡Qué alfarería tiene ese pueblo! ¡Los estilos son muy distintos!

ya veremos we'll see

Hablando de la alfarería, ellos llegaron a Morelia, todavía siguiendo el coche del Sr. Robo. Pasaron por el acueducto[1] antiguo, la elegante catedral con plazas verdes a dos lados y los portales° donde se venden los dulces famosos de Morelia. Toda la ciudad era de estilo colonial.

portales wide arcades facing the plaza

Continuaron su viaje hasta que llegaron a Santa María, una colina de donde se puede ver toda la ciudad. El rubio estacionó su coche frente a un hotel colonial, entró y usó el teléfono del hotel para llamar a un huésped.°

huésped guest

Dentro de pocos minutos bajó una mujer morena de unos cincuenta años de edad. Estaba vestida de un traje negro con un broche de diamantes. El Sr. Robo le cogió la mano y los dos fueron al patio del hotel como un par de enamorados.

Steve agarró° su cámara y Paco, la grabadora. —¡Quédense Uds. aquí!— Silenciosamente, los dos se acercaron al patio, escondidos por los arbustos y los árboles.

agarró grasped

Paco prendió la grabadora. Era casi la misma conversación que había grabado en Pátzcuaro. Hablaron cariñosamente de su boda y de sus planes para un viaje romántico a Europa.

Mientras hablaban, Steve trepó° un árbol cerca del patio para poder sacar fotos.

trepó climbed

El Sr. Robo habló de inversiones en la mina de Guanajuato. La señora le escribió un cheque de 250.000 pesos. En este instante había un ¡crac! Steve se cayó al patio.

—¡Ay!— gritó la señora.

El Sr. Robo se volteó° rápidamente y vio a Steve parándose, la cámara colgando del cuello.

se volteó turned around

—¡Ajá!— rugió° el señor. Agarró el brazo a Steve y le dio un golpe en la mejilla.° —¿Querías sacarme la foto, eh? ¿Quién pidió que hicieras esto?° ¡Dime!

rugió roared
mejilla cheek
¿Quién... esto? Who asked you to do this?

---

[1] This aquaduct is still in use today.

Steve no le dijo nada. Con la mano libre tiró° la cáma- **tiró** threw
ra hacia Paco todavía escondido en los arbustos.

El Sr. Robo sacó un revólver y lo apuntó a Steve.

—¡Siéntate! ¿Dónde está la cámara?

—¿Qué está pasando, Roberto? ¡Un revólver! ¡Dios
mío!— exclamó la señora dando unos pasos hacia atrás.

—¡Cállate! Te lo explico más tarde.

Con la espalda hacia Paco, el Sr. Robo movió poco a
poco hacia los arbustos. No quitó la vista de Steve. De
repente, Pacó brincó° de los arbustos, y, con toda su **brincó** jumped
fuerza, le dio un golpe en el hombro al Sr. Robo, hacién-
dole caer al suelo.

—¡Corre, Steve!— gritó Paco. —Yo tengo la cámara
y la grabadora.

Los dos corrieron rápidamente al auto. Subieron y pusieron en marcha el auto. Los otros estaban gritando,
todos a la vez para saber lo que pasó.

Paco manejaba como loco mientras Steve vio hacia
atrás. De repente exclamó: —Maneja más rápido, Paco.
Ya viene. ¡Nos está alcanzando!

Ramón, Sue y Elena oyeron unos disparos° y se es- **disparos** gunshots
condieron en el asiento de atrás. Los dos autos corrieron a
alta velocidad por la carretera serpentina de las colinas.

—¡Ay! ¡Caramba!— gritó Paco. Adelante en el cami-
no, estaba un ganadero° con unas quince vacas. Con **ganadero** farmer
mucha destreza.° Paco evitó golpear las vacas. Pero, **destreza** skill
el Sr. Robo no las vio con suficiente tiempo. Su auto
zigzagueó, chocando° con una de las vacas. Todos se **chocando** colliding
quedaron horrorizados al ver el auto voltearse° tres veces **voltearse** turn over
y pararse arriba abajo al pie de la colina.

Mientras los jóvenes se bajaron de su coche, el ganadero corrió al auto del rubio. Cuando llegaron todos vieron
que el Sr. Robo estaba vivo pero no consciente.° **no consciente** uncon-
scious

Paco y Steve llamaron una ambulancia y la policía. En
el hospital, los médicos rápidamente llevaron al Sr. Robo
al salón de cirugía° sin decir nada a los jóvenes. **cirugía** surgery

—Llamen Uds. mañana si quieren saber la condición
del Sr. Robo. Ahora no podemos decirles nada— les dijo
una enfermera.

Después de hablar con la policía, los jóvenes decidieron
encontrar un hotel y ver a Morelia.

—¡Ay! ¡Caramba!— Adelante en el camino estaba un
ganadero con unas quince vacas.

En camino a Morelia, discutieron lo que había pasado. —Pues, ya sabemos que el rubio está robando a varias mujeres. No cabe duda°— dijo Ramón. —Pero todavía no sabemos cómo o por qué tío Tony se metió en este asunto.

—Tío Tony estaba pintando un retrato de Marta Millón, ¿verdad?— comentó Steve.

—Sí— respondió Ramón.

—Y sabemos que tiene mucho cariño para ella— añadió Elena.

—Pues— dijo Steve, —es posible que él oyera una conversación entre Marta y el rubio y que le preocupaba porque ya estaba enamorado de Marta.

—Es posible. No quiere que el Sr. Robo robe a Marta— dijo Ramón y estacionó el coche frente al Hotel de la Soledad en el centro de Morelia.

Entraron al patio del hotel y vieron una fuente rodeada de árboles y arbustos bonitos. Las habitaciones estaban alrededor del patio y los cuartos del segundo piso abrieron a balcones.

Después de registrarse en el hotel, se descansaron. Más tarde Steve y Elena decidieron dar una vuelta por la ciudad y salieron juntos. Entonces Paco le dijo a Sue: —Pues, sé que te gustaría estar sola con Ramón, puesto que pronto regresas a los Estados Unidos. Entonces, me voy...

—Al contrario, Paco— exclamó Sue, —me gustaría estar con Uds. dos. Me gusta mucho tener a los dos como amigos. No quiero estar enamorada de nadie.

Ramón y Paco se miraron y se rieron.

—Pues, hermano— dijo Paco a Ramón, —puesto que Sue no quiere a ninguno de nosotros, te invito a dar una vuelta por la ciudad conmigo. Tengo ganas de° ver la casa de Morelos.

—¡Vamos!— respondió Ramón y los dos muchachos salieron, dejando a Sue, sola, sentada en el patio del hotel.

—Y ahora, ¿qué he hecho?— pensó Sue. —Ya no hay rivalidad entre Ramón y Paco pero, en vez de tener dos amigos, me quedo solita. ¡Qué barbaridad!

No cabe duda There is no doubt

Tengo ganas de I feel like

59

1. ¿Por qué quieren ir a Morelia los jóvenes?
2. ¿Qué hace Roberto Robo en el hotel en Morelia? ¿A quién visita?
3. ¿Qué hacen Paco y Steve?
4. ¿Qué pasa a Steve?
5. ¿Qué saca Roberto Robo? ¿Qué hace Paco?
6. ¿Quién sigue el coche de los jóvenes?
7. ¿Qué no ve el señor Robo? ¿Qué le pasa?
8. ¿Saben ahora los muchachos cómo su tío se metió en el asunto con el señor Robo?
9. ¿Qué le dice Sue a Paco?
10. ¿Por qué está sola Sue?

13. De regreso

—Llamemos al hospital— dijo Elena por la mañana. —Hay que averiguar cómo está el Sr. Robo.

—Tienes razón— dijo Steve. —Entonces sabremos qué hacer.

Cuando llamaron, les dijo la enfermera que le habían operado al Sr. Robo, que iba a estar bien. Tendría que permanecer en el hospital por lo menos° tres meses para recuperarse.

por lo menos at least

Llamaron después al hospital de Guanajuato para contarle a tío Tony todo lo que había pasado.

—Ya está terminado el caso. ¡Gracias a Dios!— exclamó tío Tony.

—¿De veras?— preguntó Steve. —Me alegro mucho, pero todavía hay mucho que no entiendo.

—Les explicaré todo esta noche— dijo tío Tony. —Voy a salir del hospital esta tarde. Rogelio Riofrío viene para llevarme a Guadalajara. Descansen Uds. un rato y luego vayan a Guadalajara. Los veo en casa esta noche, ¿está bien?

Llegaron a la casa de tío Tony a las seis. Entraron en la sala y saludaron a Rogelio Riofrío y a su tío. Tío Tony tenía la pierna rota apoyada° en una banca. Aunque pálido, él pareció mucho mejor.

apoyada resting on

—¡Jóvenes, bienvenidos!— dijo tío Tony, sonriendo. —Entren. Quiero presentarles a Marta Millón, una... pues... una amiga mía.

61

—Mucho gusto— dijeron los muchachos.

—Encantada— respondió Marta y miró a tío Tony con afecto.

—Pues, tío, explícanos el misterio. ¿Cómo te metiste en este lío° de la mina?

lío intrigue

—Pues, primero les agradezco muchísimo el no preguntarme esto antes. Pero ahora, pueden saber la verdad. El mayo pasado, Marta me pidió que pintara yo varios retratos y otras pinturas. Empecé como si fuera° un trabajo común y corriente, pero, poco a poco, durante los días que pasé con ella, empecé a sentir algo que nunca sentía antes. Empecé a quererla, pero no le dije nada.

como si fuera as though it were

Continúa tío Tony: —Un día, mientras yo pintaba, este Roberto Robo visitó a Marta. Hablaron cariñosamente de su boda y otros planes para el futuro. Yo, pues, yo estaba... celoso, aunque no tenía el derecho.

—Durante su visita el Sr. Robo habló mucho de una mina en Guanajuato y de una inversión grande en ella. Todo eso me parecía muy raro. Sabía, por haber trabajado hace muchos años en Wall Street que no se hacen inversiones verdaderas en la manera que Robo sugirió. Sospechaba que algo no estaba bien, y decidí investigar el asunto. Quería evitar un desastre financiero para Marta porque... porque... la quería.— Tío le miró a Marta con una sonrisa pequeña.

Marta añadió: —En esos días yo también empecé a sentir cariño por Tony. Tampoco le dije nada. Más tarde nos dimos cuenta de que estábamos enamorados. Decidimos que yo siguiera viendo a Robo para ver si era ladrón como Tony sospechaba. Por eso, salí varias veces con él. Aún le di un cheque mío para probar que Robo es ladrón.

—¡Ahá!— exclamó Sue. —Yo·sabía que tío se metió en esto por el amor.

Tío se sonrojó un poco y siguió: —Pues, pedí el consejo de Rogelio. Como él es investigador privado, sabía qué hacer.

—¡Abuelo! ¿Tú eres investigador privado?— exclamó Ramón, muy sorprendido. —No puede ser. ¡Eres abogado!

—Sí, Ramón, *era* abogado, pero me aburrí y, hace un año, me decidí a cambiar de profesión.

—Pues— continuó tío Tony, —Rogelio se dedicó a escuchar° todas las conversaciones por teléfono de Roberto Robo. Y lo observaba todo el tiempo. Rogelio me llamó cada vez que el rubio salía de su casa. Por eso, recibí las llamadas misteriosas y salí rápidamente de la casa después de colgar.° Lo seguimos muchas veces a las casas de varias mujeres en Guadalajara. Sacamos fotos de ellos y grabamos las conversaciones cuando fuera posible.

se... escuchar made a point of listening to

colgar hanging up

—Lo seguí también a Manzanillo. Quizá Uds. averiguaron esto. Yo sabía que el Sr. Robo iba a visitar a Marta en Manzanillo. Por eso, Marta y yo decidimos fingir° pintar un retrato de ella en su bungalow en Manzanillo, pero mi propósito° verdadero era, claro, grabar su conversación con Roberto y protegerla. Y así, aprendí mucho.

fingir to pretend
propósito purpose

—Pues, después de varias semanas de investigación sabíamos que cada vez que Roberto habló con una mujer pasaba la misma cosa.

—Conversaron cariñosamente y hablaron de inversiones en una mina en Guanajuato. Las mujeres le dieron mucho dinero para invertir.

—Entonces, un día, Rogelio oyó que el Sr. Robo iba a ir a Guanajuato para comprar la mina. Tuvo un plan de comprar una mina agotada por un precio barato y de vender acciones° caras como si la mina fuera muy rica.° Después de registrar la mina en el ministro de minas, pensaba visitar a unas amigas en Morelia y Pátzcuaro para recibir su dinero para las inversiones.

vender acciones to sell stock
como si... rica as if the mine were very rich

—Rogelio no podía acompañarme a Guanajuato. Por eso, decidí ir solo — hasta que Uds. decidieron ir también. Y ya Uds. saben lo que pasó después.

—Sí, pero, ¿cómo ocurrió que el rubio trató de matarte?— preguntó Ramón.

—Bueno, como saben, fui al ministro de minas. Unos minutos después de mi salida, el Sr. Robo llegó al ministro. Cuando preguntó acerca de la mina, le dijeron que me interesó la mina también y que yo había ido a investigarla. El rubio temió que yo supiera de su engaño° y, así, se fue a la mina para matarme.

engaño deceit

—Él creía que yo había muerto y, así, siguió su viaje y visitó a las mujeres en Pátzcuaro y Morelia. Fíjense,

¡el Sr. Robo tiene algunas veinte mujeres que creen que él va a casarse con ellas!

—Veinte, hasta que te conocí, ahora diecinueve— interrumpió Marta, la cara llena de cariño.

—No sé cómo yo podía ser tan estúpida. Hace tres meses le creía a Roberto.

—Pues, el Sr. Robo es muy listo° y sabe mentir bien. Además, es guapo, amable con las mujeres, y parece rico— dijo tío Tony. —¡Fíjense, era una vaca que terminó su escapada!

listo clever

—Sí, me pregunto° si la vaca supiera qué gran cosa hizo al pisar° la carretera— Ramón se rió.

me preguntó I wonder
pisar stepping on

—Pues— preguntó Marta, —¿qué van a hacer ahora?

—Ahora todo es fácil— explicó Rogelio. —La policía va al hospital para detener° al Sr. Robo. Luego vamos a la justicia.° Estoy seguro de que dentro de poco se verá que él tiene la culpa y él irá a la cárcel.

detener arrest
justicia court

—Es una lástima que gastemos todo el verano tratando de terminar este lío— dijo tío Tony. —¿Cuándo tienen que regresar a los Estados Unidos?

—La semana que viene— dijo Sue, muy triste.

—¿Tan pronto?— preguntó tío Tony, sorprendido.
—Pues, aunque no puedo caminar bien con esta pierna rota, vamos a hacer muchas cosas durante estos días. Seguramente hay mucho que no vieron aquí.

—Al contrario, tío— respondieron Sue y Steve a la vez.

—Gracias a nuestros buenos amigos— continuó Steve, —vimos a toda Guadalajara y, si no fuera por el Sr. Robo, no habríamos visto° a Guanajuato, ni a Pátzcuaro, ni a Morelia. ¡Este verano ha sido inolvidable!

si... visto if it weren't for Sr. Robo we wouldn't have seen

—Pues, amigos— dijo Paco, muy en serio. —Para nosotros también ha sido una experiencia inolvidable. Por mi parte,° no puedo decir adiós. Tenemos que hacer planes para las próximas vacaciones. ¿Qué les parece hacer un viaje a la Ciudad de México?

Por mi parte As far as I'm concerned

—¡Vamos al Yucatán!— sugirió Ramón.

—O vamos a Centroamérica— dijo Elena. —Se dice que es muy bonita.

—O vamos a España— dijo Sue, añadiendo con una sonrisa pequeña, —¡hay tantas cosas que comprar allá!

Me gustaría tener estatuas de don Quijote, botas para vino, jarras para sangría...

—¡Más compras!— gritaron todos. Todos se rieron y empezaron a hacer suficientes planes para diez vacaciones, por lo menos.

FIN

1. Según la enfermera, ¿cómo está Roberto Robo?
2. ¿En dónde y cuándo van a encontrarse los jóvenes con tío Tony?
3. ¿Qué había ocurrido poco a poco durante los días que tío Tony pasó con Marta Millón?
4. ¿Por qué siguió Marta viendo a Roberto Robo?
5. ¿Cómo se metió en el lío Rogelio?
6. ¿Por qué se fue tío Tony a Manzanillo?
7. ¿Con cuántas mujeres se casará el señor Robo?
8. ¿Cómo robó el señor Robo a las mujeres?
9. ¿Qué van a hacer los dos jóvenes durante su última semana en Guadalajara?
10. ¿Qué planes tienen los muchachos para las próximas vacaciones?

Master Vocabulary

The Master Spanish-English Vocabulary presented here represents the vocabulary as it is used in the context of this book.

The nouns are given in their singular form followed by their definite article only if they do not follow the usual gender rule. Adjectives are presented in their masculine singular form followed by -a. The verbs are given in their infinitive form followed by the reflexive pronoun -se if it is required, by the stem-change (ie), (ue), (i), by (IR) to indicate an irregular verb and by the preposition which follows the infinitive.

A

abertura   opening
abrigo   coat, overcoat
abrir   to open
abuelo   grandfather
aburrido, -a   bored
aburrirse   to be bored
acerca de   about, concerning
acercarse a   to approach, come near
acompañar   to accompany, go (be) with
acordarse (ue) de   to remember
acostarse (ue)   to go to bed
acostumbrarse a   to become accustomed to
además   besides, in addition
adentro   inside
aduana   customs, customhouse
advertencia   warning
advertir (ie)   to warn
aeropuerto   airport
afecto   affection
aficionado, -a   ardent fan, usually of bullfighting
afortunadamente   fortunately
afueras, las   outskirts
agitado, -a   agitated
agradecer   to thank
agua, el   water
aguantar   to withstand, tolerate
ahora   now
ahogarse   to drown
aire, el   air
  aire libre   open air

ajustar   to adjust
alcoba   bedroom
alfarería   pottery shop or factory; the art of pottery
algo   something
alguien   someone
alguno, -a   some
alojarse   to be lodged in, at
alrededor   around, surrounding
alto, -a   tall
altura   height
amable   nice, pleasant
amanecer   to dawn
amante, el, la   lover
ambiente, el   atmosphere, mood
amor, el   love
amistoso, -a   friendly
andar (IR)   to walk
anillo   ring
animado, -a   animated, excited
animarse   to become animated
anteojos, los   eyeglasses
anterior   previous
antes (de)   before
antiguo, -a   old, ancient
anunciar   to announce
añadir   to add
año   year
aparato   apparatus
apariencia   appearance
aplaudir   to applaud
apoyar   to support
aprender   to learn
aproximadamente   approximately
apuntar   to point, point out

aquel, aquella   that over there
aquí   here
árbol, el   tree
arbusto   bush, hedge
arena   sand
arete, el   earring
arqueólogo   archeologist
arquitectura   architecture
artesanía   folk art, craft
artesano   artisan
arreglar   to arrange
arriba   up, above
arroz, el   rice
asegurar   to assure
así   so, thus, in this way
asiento   seat
asunto   the matter
atrás   behind
a través de   through
audacia   braveness, daring
aún   even
aunque   even though
autorizar   authorize
avenida   avenue
averiguar   to find out
avión, el   aeroplane
ayudante, -ta   helper
ayudar   to help
azul   blue
azulejo   tile

B

bailar   to dance
bajo, -a   short, low
bajar (de)   to go down, descend; to get
   out of a vehicle
balcón, el   balcony
banca   bench
banda   band
banderillero   man who places the *ban-
   derilleras* (short barbed sticks) in a
   bullfight
barato, -a   cheap
barbaridad, la   barbarity, nonsense
barbilla   beard
barco   boat, ship

barro   mud
basta   enough
bastante   enough
bastante bien   pretty well
batalla   battle
beber   to drink
bello, -a   pretty
besar   to kiss
bienvenido, -a   welcome
bigote, el   moustache
boca   mouth
boda   wedding
boleto   ticket
bolsillo   pocket
bolso   bag, package, purse
bosque, el   forest
bota   leather bag for wine
botella   bottle
brazo   arm
breve   brief
brillar   to shine
broche, el   pin, brooch
broma   joke
bueno   (Mexico; a pause word)
   well, um
buscar   to look for, search

C

caballo   horse
cabeza   head
cada   each
caerse (IR)   to fall down
callado, -a   quiet
calle, la   street
callejón, el   alley, narrow street
cama   bed
cámara   camera
cambiar   to change
caminar   to walk
camión, el   bus
camisa   shirt
campo   countryside
canción, la   song
canoa   canoe
cansado, -a   tired
cantidad, la   quantity

67

cara   face
cárcel, la   jail
cargado, -a   burdened
cariño   affection
cariñoso, -a   affectionate
carne, la   meat
caro, -a   expensive
cartera   wallet
casarse con   to marry
casi   almost
celofán   cellophane
celoso, -a   jealous
cena   dinner
centavo   cent
cerámica   ceramic pottery
cerca (de)   close, near
cercanía   closeness
cerdo   pig
cerrar (ie)   to close
cielo   sky
cinta   ribbon
citar   to provoke
ciudad, la   city
claro   sure, certainly
clavar   to stick in
coco   coconut
coche, el   car
cohete, el   rocket
coger   to grab, pick up
cola   tail
colgar (ue)   to hang
colina   low, rolling hill
collar, el   necklace
comedor, el   dining room
comida   food, dinner
comer   to eat
comienzo   beginning
comprar   to buy
consciente   conscious
concurso   contest
confuso, -a   confused
conmigo   with me
consistir   to consist
construir   to construct
contar (ue)   to tell, relate
contener (IR)   to contain
contestar   to answer
continuar   to continue
contrario   contrary

controlar   to control
conocer   to know, become acquainted
cortés   polite
corto, -a   short
corto   cutting
correr   to run
corrida   bullfight
costar (ue)   to cost
costumbre, la   custom
crecer   to grow
creer (IR)   to believe, think
criada   maid
cuadra   city block
cuando   when
cuarto   room
cuenta   bill, check
   cuenta de ahorros   savings account
cuerda   string
cuerno   horn
cuerpo   body
cuero   leather
culpa   guilt, blame
curiosidad, la   curiosity
curioso, -a   curious

CH

chaperón, -na   chaperone
chaqueta   jacket
cheque de viajero, el   traveller's cheque
chico, -a   teenager
chiste, el   joke
chistoso, -a   funny
chofer, el   driver

D

daño   damage
dar (IR)   to give
darse cuenta (de) (IR)   to realize
debajo (de)   under
debilidad, la   weakness
decidir   to decide
decorar   to decorate

68

dedicar   to dedicate
dejar   to let. leave
delgado, -a   thin
demasiado   too much
dentro (de)   within. inside
derecho   right. privilege
derretido   melted
desafortunadamente   unfortunately
desaparición   disappearance
desastre, el   disaster
desayuno   breakfast
descansar   to rest
desfile, el   parade
desmayarse   to faint
desolación, la   desolation
despacio, -a   slow
despedirse (i) de   to say goodbye to
despertarse (ie)   to wake up
después (de)   after
detalle, el   detail
detener (IR)   to stop. to arrest
detrás (de)   behind
día, el   day
difícil   difficult
dilema, el   dilemma
dinero   money
dirección, la   address. direction
dirigirse a   to direct oneself (to), to
   go to
diseño   design
dispensarse   to excuse oneself
distinguido, -a   distinguished
distinto, -a   different
diversión, la   diversion
divertido, -a   entertaining. funny
divertirse (ie)   to have a good time
dividirse   to divide
dolerse (ue)   to hurt
dolor, el   pain
dormir (ue)   to sleep
dulce, el   sweet. candy
durante   during

E

echar   to cast. throw
edad, la   age

edificio   building
ejecutar   to execute. perform
elegante   tasteful. elegant
emocionado, -a   excited
emocionante   exciting
empezar (ie)   to begin
empujar   to push
enamorado, -a   in love
enamorarse (de)   to fall in love (with)
encantar   to enchant
   me encanta   I really like
encender (ie)   to ignite
encima de   on top of
encontrar (se) (con) (ue)   to find. meet
enfadarse   to make angry
enfermera   nurse
engaño   deceit. trick
enojado, -a   angry
enojarse   to be. get angry
enojo   anger
enorme   enormous
enrojarse   to blush, redden
entender (ie)   to understand
entero, -a   entire
entonces   then
entrar (en, a)   to enter (into)
entre   between
entusiasmo   enthusiasm
envuelto, -a   wrapped
escalera   stairway
esconder   to hide
escuchar   to listen
espalda   back
especie, la   type
espectáculo   spectacle
esperar   to await. hope
esquina   corner
estación, la   station. season
estacionar   to park a car
estado   state
estar (IR)   to be
estatua   statue
estilo   style
estoque, el   sword
estrecho, -a   narrow
estudiar   to study
exasperación, la   exasperation
excepto   except
exclamar   to exclaim

excusar   to excuse
existir   to exist
éxito   success
explicar   to explain
extrañar   to seem strange

F

fábrica   factory
fácil   easy
familia   family
falda   skirt
famoso, -a   famous
fascinar   to fascinate
felicitar   to congratulate
feliz   happy
feo, -a   ugly
feria   fair, festival
fijarse en   to pay close attention, notice
fila   row
fin, el   end
fingir   to pretend
fino, -a   delicate, fine, excellent
flor, la   flower
florido, -a   flowery
florero   flower vase
forma   form, shape
francés   French person
frente   facing
frío, -a   cold
frito, -a   fried
fuente, la   fountain
fuerte   strong
fumar   to smoke

G

gallina   hen
ganar   to earn, win
gastar   to waste
gente, la   people
gerente, el   manager
gobierno   government
gordo, -a   fat
gracia   grace
gracioso, -a   funny

grande   big
grano   grain
gris   gray
gritar   to shout
grito   shout
grupo   group
guapo, -a   handsome
guardar   to save
guerra   war
guía, el   guide
gustar   to like
gusto   pleasure
   Mucho gusto.   Pleased to meet you.

H

habilidad, la   ability
habitación, la   bedroom
hablar   to speak, talk
hacer (IR)   to do, make
   hagan el favor de   please
hacia   to, towards
hambre, el   hunger
   tengo mucha hambre   I'm very hungry
hambriento, -a   hungry
hay   there is, there are
   hay que   it is necessary
hecho, -a   made
helado   ice cream
herida   wound
hermano, -a   brother, sister
héroe, el   hero
hesitación, la   hesitation
hijo, -a   son, daughter
histórico, -a   historical
hombre   man
hondo, -a   deep
hora   hour
horror, el   horror
huésped, -da   guest

I

iglesia   church
ignorar   to ignore
imaginar   to imagine

imitar   to imitate
impaciente   impatient
importarse   to matter, be important
imposible   impossible
imprevisto, -a   unforeseen, unexpected
incidente, el   incident
incómodo, -a   uncomfortable
inmediatamente   immediately
inolvidable   unforgettable
interés, el   interest
interesar   to interest
interminable   continual, unending
interrumpir   to interrupt
instrumento   instrument
inversión, la   investment
invierno   winter
invitar   to invite
ir (IR)   to go
ira   anger
isla   island
izquierdo, -a   left

J

jamás   never
jarra   pitcher
jefe, -fa   chief
joven   *n.*, young person; *adj.*, young
joya   jewel
joyería   jewellery store
juego   game
jugar (ue)   to play a game or sport
juguete, el   toy
juntos, -as   together
justicia   justice, court

K

kilo   kilogram

L

lado   side
ladrón, el   thief

lago   lake
lágrima   tear
lancha   launch, small boat
lanza   lance
largo, -a   long
leer (IR)   to read
legumbre, la   vegetable
lejos (de)   far away
lengua   language
lentamente   slowly
levantarse   to get up
ley, la   law
limonada   lemonade
lío   intrigue, scrape
listo, -a   ready, clever
lobo   wolf
luego   later, then
lugar, el   place
luz, la   light

LL

llamada   call
llamarse   to be named
llegada   arrival
llegar   to arrive
lleno, -a   full
llevar   to wear, carry
llover (ue)   to rain
lluvia   rain

M

madera   wood
madrugada   early morning
maíz, el   corn
maleta   suitcase
mandolina   mandolin
manera   manner
mantener (IR)   to maintain
mañana   morning, tomorrow
máquina   machine
marinero   sailor
más   more
matador   bullfighter

matar   to kill
máximo   maximum
mayor   older
mayoría   majority
medalla   medal
medianoche, la   midnight
medio   half
mejor   better
menos   less
mentir (ie)   to lie
mercado   market
mesero   waiter
metálico, -a   metallic
meterse   to go in
metro   metre
miedo   fear
mientras   while
   mientras tanto   meanwhile
milla   mile
mina   mine
minifalda   miniskirt
mínimo   minimum
mirada   look. glance
mirar   to look
mismo, -a   same
mojado, -a   wet
mojarse   to get wet
molestar   to bother
momia   mummy
moreno, -a   dark-haired. dark-skinned.
   dark-eyed
morir (ue)   to die
mostrar (ue)   to show. indicate
mover (ue)   to move
movimiento   movement
mujer, la   woman
mula   mule
muleta   red. heart shaped cape used in
   the kill at a bullfight
murmurar   to murmur
museo   museum

N

nada   nothing
nadar   to swim
nadie   no one

necesitar   to need
negociar   to negotiate
negocio   business
nene, -na   baby
nieto   grandson
nieve   snow cone: snow
noche, la   night
nombre, el   name
noreste   northeast
noroeste   northwest
notar   to note. to notice
novio, -a   serious boy (girl) friend
nuestro, -a   our
número   number
nunca   never

O

obediente   obedient
objeto   object
observar   to observe
oficialmente   officially
oficio   job. skill
oír   to hear
ojo   eye
olvidar (de)   to forget (to)
operado   operated
opuesto, -a   opposite
orquesta   orchestra
ordinario, -a   ordinary. simple
oreja   ear
orgulloso, -a   proud
orilla   seashore
oscuro, -a   dark
otro, -a   another. other

P

paciente   patient
padres, los   parents
pagar   to pay
país, el   country. nation
paisaje, el   scenery. landscape

palabra   word
palacio   palace
pálido, -a   pale
panteón, el   cemetery
pañuelo   handkerchief
papa   potato
papel, el   paper
paquete, el   package
par, el   pair
parada   stop
parar   to stop
pararse   to get up. stand up
parecer   *n.*, appearance: *vb.* to appear.
   seem
   me parece   I think. it seems to me
parque, el   park
parte, la   part
pasaje, el   passage
pasar   to pass. spend time
pasearse   to go about. stroll
paseo   stroll. promenade
pasillo   hall. passageway
paso   pass with the cape in the bullfight: step
pastel, el   pastry
pedazo   piece
pedir (i)   to ask for
peinar   to comb
peine   comb
peligro   danger
peligroso, -a   dangerous
pelo   hair
pelota   ball
peluquería   beauty shop
pensar (ie)   to think. plan
pensativo, -a   thoughtful
peón, el   helper
pequeño, -a   small
perder (ie)   to lose
periódico   newspaper
permiso   permission
permitir   to permit
perro   dog
pescar   to fish
peso   Mexican monetary unit
picador, el   man who pricks the bull from
   horseback during the bullfight
pierna   leg
pintar   to paint

pintoresco, -a   picturesque
pirámide, la   pyramid
piso   floor, storey
planear   to plan
plata   silver
plato   plate
pobre   poor
poder (ue) (IR)   to be able
pollo   chicken
poner (IR)   to put. place
portarse   to behave. act
posible   possible
practicar   to practise
precio   price
preguntar   to ask
premio   prize
preocupado, -a   worried
preocuparse (de)   to worry (about)
preparar   to prepare
presentarse   to present. introduce
primero, -a   first
principio   beginning
prisa   hurry
pronto   soon
propio, -a   own
propósito   aim. goal
   a propósito   by the way
próximo, -a   next
pueblo   town
puerta   door
pues   well. um
puesto   stand. booth
puesto que   since
pulsera   bracelet
punto   point

Q

quebrarse (ie)   to break
quedarse   to remain
   ¿Dónde queda?   Where is it located?
quejarse   to complain
querer (ie) (IR)   to want. wish. desire.
   love
quieto, -a   quiet
quitarse (de)   to take off

R

rápidamente rapìdly, quickly
rapidez, la speed
raro, -a strange, odd
rascar to scratch
rato short period of time
rayo lightning
rayado, -a striped
razón, la reason
rebozo Mexican shawl
recepción, la reception desk
recibir to receive
reconocer to recognize
recordarse (ue) to remember
refresco soft drink
regatear to bargain
regresar to return
regreso return
reírse de to laugh at
religioso, -a religious
remediar to remedy
residencial residential
respirar to breathe
responder to respond, answer
respuesta answer
restaurante, el restaurant
retrato portrait
reunirse to meet
ridículo, -a ridiculous
rivalidad, la rivalry
robar to rob
romántico, -a romantic
ropa clothing
rubio, -a blonde
ruido noise
ruta route

S

sábana sheet
saber (IR) to know something
sacar to take out
  sacar fotos to take pictures
sala living room
salida exit
salir (IR) to leave
salón, el large hall

saltar to jump
saludar to greet
secreto secret
seguir (i) to follow
según according to
segundo, -a second
seguro, -a sure
semana week
semejante similar
senda path
sentado, -a seated
sentarse (ie) to sit down
sentir (ie) to feel
señal, la signal, sign
señalar to signal, wave
ser (IR) to be
serie, la series
serenata serenade
siempre always
significar to mean
silla chair
sin embargo nonetheless
sino but, rather, except
situación, la situation
situado, -a situated, located
sobrino, -a nephew, niece
socorro help
solamente only
sombra shade
sombrero hat
sombrilla umbrella, parasol
sonar (ue) to sound, ring
sonrisa smile
sorprender to surprise
sorpresa surprise
sospechar to suspect
subir a to go up, to get on
subterráneo, -a subterranean
suceso occurence, event
suelo ground, floor
sueño sleep
suerte, la luck
suspirar to whisper, sigh
susto shock, fright, scare

T

taller, el studio, workshop

también also
tampoco neither
tanto so much
tardar to delay. take time
tarjeta card
teatro theatre
techo roof
tela cloth
teléfono telephone
tema, el theme. topic
temer to fear
temprano early
tener (IR) to have
terminar to finish
tiempo time
tienda shop
tierra land. country
timbre, el doorbell
tío uncle
típico, -a typical
tirar to throw. toss. pull
tobillo ankle
tocar to touch; knock; play a musical
  instrument
todavía still. yet
todo everything
tomar to take. eat
tonto, -a stupid, silly
torear to fight a bull
toro bull
torre, la tower
trabajar to work
trabajo work
traer (IR) to bring
traje de baño, el bathing suit
tratar (de) to try (to)
tremendo, -a tremendous
trompeta trumpet
tronar (ue) to thunder
turista, el, la tourist

U

último, -a last
único, -a only
universidad, la university
usar to use

V

vaca cow
vacilar to vacillate hesitate
valer (IR) to be worth
valor, el worth. value
varios, -as several
vaso vase
vecino, -a neighbour
vehículo vehicle
vela candle
vendedor, -ra storekeeper. salesman
vender to sell
ventana window
ver (IR) to see
verano summer
verdad, la right. correct. truth
verde green
vestido dress
vez, la time
viajar to travel
viaje, el trip. excursion
vida life
vidrio window glass. glass
viejo, -a old
viento wind
vigilar to guard. watch
visita visit
visitar to visit
vista view
vivir to live
vivo, -a alive
  color vivo bright colour
voz, la voice
  en voz alta in a loud voice

Y

ya already

Z

zapato shoe